D1291140

LA NATION/ST.ISIDORE
IP039021

# AMOS DARAGON

## LE SANCTUAIRE DES BRAVES II

**Du même auteur :**

*Horresco referens*, théâtre, Édition des Glanures, 1995.
*Contes Cornus, légendes fourchues*, théâtre, Édition des Glanures, 1997.
*Louis Cyr*, théâtre, Édition des Glanures, 1997.
*Fortia Nominat Louis Cyr*, théâtre, éditions Michel Brûlé, 2008 [1997].
*En mer*, roman, éditions de la Bagnole, 2007.
*Marmotte*, roman, Les Intouchables, 2008 [1998, 2001].
*Mon frère de la planète des fruits*, Les Intouchables, 2008 [2001].
*Pourquoi j'ai tué mon père*, Les Intouchables, 2008 [2002].
*Créatures fantastiques du Québec, tome 1 et 2*, ouvrages de référence, Les Intouchables, 2009.

**Dans la série *Amos Daragon* :**

*Porteur de masques, La clé de Braha, Le crépuscule des dieux*, roman, Perro Éditeur, 2012 [2003].
*La malédiction de Freyja*, roman, Les Intouchables, 2003.
*La tour d'El-Bab*, roman, Les Intouchables, 2003.
*La colère d'Enki*, roman, Les Intouchables, 2004.
*Voyage aux Enfers*, roman, Les Intouchables, 2004.
*Al-Qatrum*, hors série, Les Intouchables, 2004.
*La cité de Pégase*, roman, Les Intouchables, 2005.
*La toison d'or*, roman, Les Intouchables, 2005.
*La grande croisade*, roman, Les Intouchables, 2005.
*Porteur de masques*, manga, Les Intouchables, 2005.
*La fin des dieux*, roman, Les Intouchables, 2006.
*La clé de Braha*, manga, Les Intouchables, 2006.
*Le crépuscule des dieux*, manga, Les Intouchables, 2007.

*Le guide du porteur de masques*, hors-série, Les Intouchables, 2008.
*Le Sanctuaire des Braves 1*, roman, Perro Éditeur, 2011.

**Dans la série *Wariwulf*:**

*Le premier des Râjâ*, roman, Les Intouchables, 2008.
*Les enfants de Börte Tchinö*, roman, Les Intouchables, 2009.
*Les hyrcanoï*, roman, Les Intouchables, 2010.

**Dans la série *La grande illusion*:**

*La grande illusion*, bande dessinée, Les Intouchables, 2009.

**Dans la série *Walter*:**

*Walter tome 1*, roman, Les éditions La Presse, 2011

Catalogage avant publication de Bibliothèque et Archives nationales du Québec et Bibliothèque et Archives Canada

Perro, Bryan
Amos Daragon, le sanctuaire des braves
L'ouvrage complet comprendra 3 v.
Pour les jeunes de 9 ans et plus.
ISBN 978-2-923995-01-4 (v. 1)
ISBN 978-2-923995-02-1 (v. 2)
I. Titre.
PS8581.E745A8847 2011 jC843'.54 C2011-941052-4
PS9581.E745A8847 2011

Illustration de la couverture : Étienne Milette
Carte du monde d'Amos Daragon : Pierre Ouellette
Logo du titre : François Vaillancourt
Infographie : Geneviève Nadeau
Révision : Nicolas Rouleau, Marie-Christine Payette
Direction éditoriale : Bryan Perro, Gabrielle Gilbert-Hamel

PERRO ÉDITEUR
395, avenue de la Station
C.P. 8
Shawinigan (Québec) G9N 6T8
www.perroediteur.com

DISTRIBUTION : Les messageries ADP
2315, rue de la Province
Longueuil (Québec) J4G 1G4
www.messageries-adp.com

IMPRESSION : Transcontinental Gagné
750, rue Deveault
Louiseville (Québec) J5V 3C2
www.transcontinental.com

Dépôt légal : 2012
Bibliothèque et Archives nationales du Québec
Bibliothèque nationale du Canada



ISBN 978-2-92-923995-02-1

**BRYAN PERRO**

**ROMAN**

Le Monde
d'Amos Daragon
Le Sanctuaire des Braves
L'Homme Gris
Mer du Nord
Mer des Deltas
Vikings de l'Ouest
Vikings de l'Est
Forêt Rouge
Forêt Jaune
Forêt Bleue
pays d'Atrum
Terres Barbares
Hyperborée
Territoire de Wassali
La Terre Verte
La Forêt des Pins Gris
Océan Sans Fin Nord
Les Sommets Venteux
Territoires Vikings
Sanctuaire des Braves
Bois de tarkasis
Cité de Pégase
Les Salines
Quinze royaumes des Chevaliers
Berrion

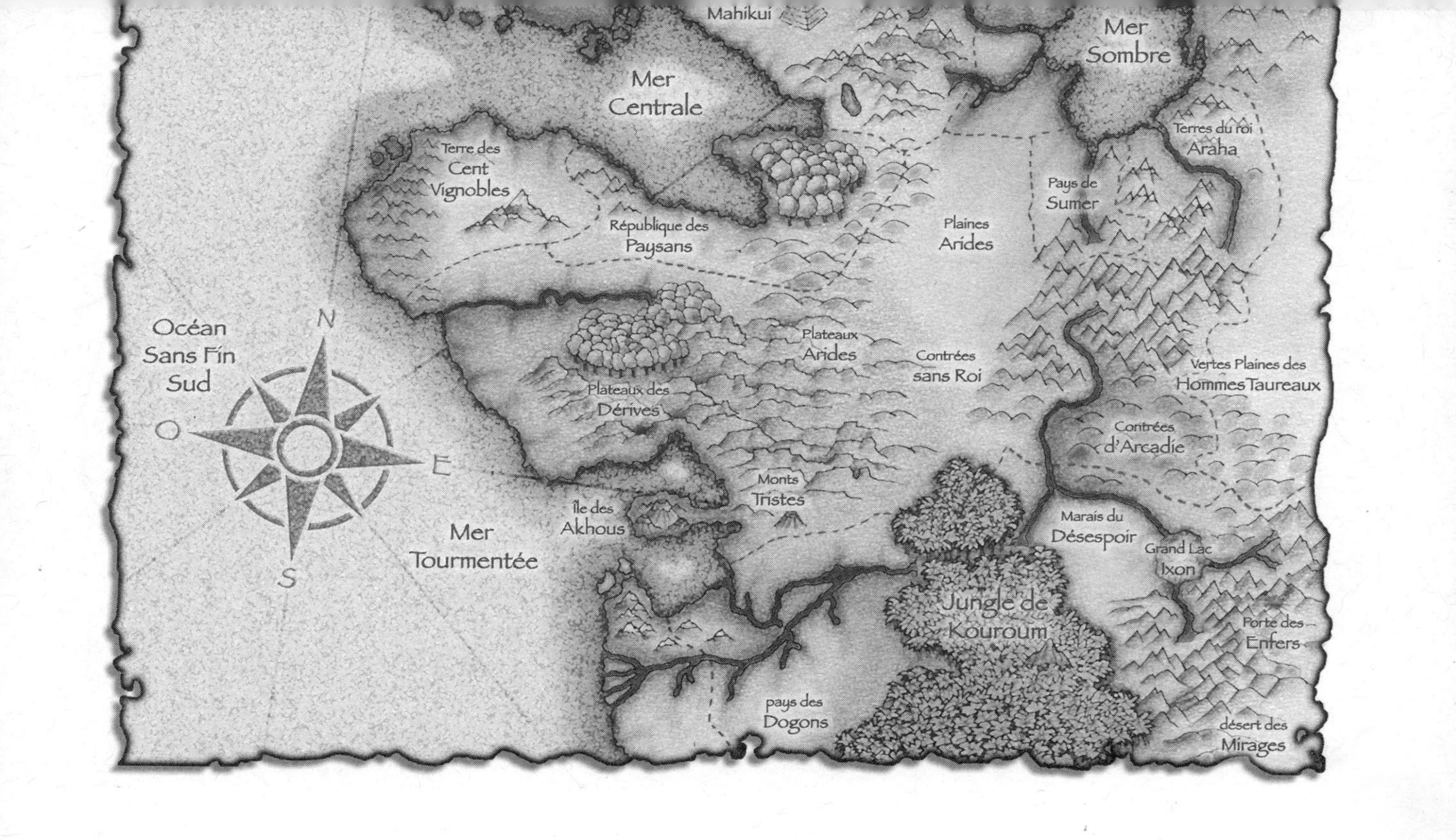

Mahikui
Mer Sombre
Mer Centrale
Terres du roi Araha
Terre des Cent Vignobles
Pays de Sumer
République des Paysans
Plaines Arides
Océan Sans Fin Sud
Plateaux Arides
Contrées sans Roi
Vertes Plaines des Hommes Taureaux
Plateaux des Dérives
Contrées d'Arcadie
Monts Tristes
Île des Akhous
Marais du Désespoir
Mer Tourmentée
Grand Lac Ixon
Jungle de Kouroum
Porte des Enfers
pays des Dogons
désert des Mirages
N
O
E
S

# Amos Daragon

Amos est un jeune adolescent au regard franc, au cœur pur et à l'intelligence particulièrement aiguisée. Muni d'une détermination de fer, sa principale force est sa lucidité. Issu d'une famille modeste d'artisans, il conserve en lui la simplicité qui caractérise les grands héros.

Amos est difficile à berner, car il ne se fie pas qu'aux apparences. D'une prodigieuse intelligence, il adore relever les défis qui semblent infranchissables et n'hésite jamais à plonger dans l'action pour affronter ses ennemis. Plus rusé qu'un dieu, il n'est pas facile de le prendre au piège puisqu'il possède toujours une longueur d'avance sur ses ennemis. Même les immortels, pourtant surpuissants, n'arrivent jamais à le coincer. Son humour, sa finesse d'esprit et sa confiance en lui en font un personnage qui, malgré tous les dangers, sait toujours désamorcer les pièges tendus aux humains.

Au cours de ses douze aventures, Amos a su acquérir tous les masques de pouvoir, mais sa maîtrise reste à parfaire. Ainsi, une colère incontrôlée peut avoir des conséquences néfastes sur ses proches ou sur son environnement. L'injustice fait rager Amos de même que l'insolence des dieux à l'égard des créatures terrestres. Mais heureusement, Sartigan est là pour mettre de l'ordre dans ses émotions et lui enseigner les voies de la sagesse, de la modération et du contrôle.

# Béorf Bromanson

Le meilleur ami d'Amos Daragon est un homme-ours de la race des béorites. À peine plus âgé que le porteur de masques, ce gros garçon sympathique et drôle possède la bonhomie caractéristique des grands optimistes. Chef de son village, il est le dernier membre de la famille Bromanson et dispose, comme ses aïeuls, du pouvoir de se métamorphoser en ours à sa guise. Malgré son impressionnante stature, ses muscles développés et ses grosses fesses bombées, il est très agile et devient un redoutable combattant si sa vie est menacée. Comme un ours, Béorf est un bon mangeur et est plus souvent guidé par son estomac que par sa tête, ce qui le place régulièrement dans des situations rocambolesques. Toujours prêt à rire même dans les situations les plus critiques, il a le cœur aussi gros que la panse et sacrifiera volontiers sa vie pour sauver ses compagnons d'aventure. Béorf est d'une culture où l'amitié est une valeur essentielle et l'honneur, une façon de vivre. Malgré son tempérament prompt et ses manières un peu brusques, Béorf est un ami dévoué, loyal et attentif.

# Lolya

Cette jeune fille de race noire est l'ancienne reine d'une peuplade tribale vivant dans les lointaines contrées du sud du continent. Abandonnant sa couronne à sa jeune sœur pour suivre Amos dans sa quête, c'est une fille généreuse et dévouée. Lolya exerce ses talents d'ensorceleuse à travers les sphères de la nécromancie et de la divination. Elle possède le pouvoir d'interroger les morts, d'invoquer les esprits et de voir l'avenir.

Lolya est coquette et, la plupart du temps, porte des bijoux, résultat de son passé de jeune reine. Elle habite dans la vieille forteresse des béorites, à Upsgran, où sa serre florale est installée. C'est là qu'au milieu de ses potions, de ses huiles, de ses bougies et de ses talismans, de ses grimoires et de ses pollens, elle étudie la dague de Baal. Cette lame extraordinaire forgée dans les enfers et rapportée chez les mortels par Amos, possède une âme qui lui est propre. Depuis le tome dix de la série, Lolya vit en symbiose avec elle. L'arme, aussi appelée Aylol, est devenue un élément essentiel à sa survie et elles ne peuvent être séparées sous peine d'en mourir toutes les deux. Capricieuse et un peu fourbe, la dague est très jalouse de l'amour que Lolya porte à Amos. Comme la jeune nécromancienne est la seule à entendre les palabres de son arme, cette dernière en profite souvent pour lancer des commentaires cinglants et déplacés. Heureusement pour la jeune noire, la dague de Baal n'est pas seulement un poids à supporter, elle lui permet aussi d'amplifier la force de sa magie et de prolonger la durée de ses sorts.

# Médousa

De la race des gorgones, Médousa est la plus intrigante des compagnons d'Amos Daragon. Avec ses cheveux de serpents et son pouvoir de pétrification, elle a la peau verte, les pieds palmés et possède des ailes qui lui permettent de planer. En raison de son allure non conforme, Médousa effraie et doit toujours faire attention de ne pas provoquer la panique autour d'elle. C'est pourquoi elle se tient souvent à l'écart et cache son visage et ses cheveux sous le large capuchon de sa cape. Aussi, Flag l'inventeur lui a fabriqué une paire de lunettes appelées «lurinettes» qui protège les autres de son regard pétrifiant. Peu sûre d'elle, la gorgone est très sensible aux jugements d'autrui et se décourage souvent devant les obstacles à franchir.

Médousa est une gorgone de mer, ce qui lui confère un talent naturel pour la mobilité aquatique. Au contact du sel de l'océan, sa peau verte se transforme en un joli bleu qui lui donne une allure moins menaçante. La nage est son activité préférée et chaque jour, elle la pratique de longues heures. Même dans l'eau glacée, Médousa ne frissonne jamais, car elle est une créature à sang froid. Son corps s'adapte à la température ambiante, sauf dans les cas de froid extrême où elle risque simplement de congeler jusqu'à l'arrivée du printemps.

## Chapitre 1

# Lolya, Aylol et Hermine

Depuis de longues semaines, les cris déchirants d'une jeune fille enfermée dans les caves faisaient trembler le château de Berrion. La prisonnière hurlait jour et nuit afin qu'on la libère. Agressive, vindicative et enragée, elle réclamait la tête d'Amos Daragon et la torture pour ses compagnons d'aventure. Insensible aux drogues soporifiques, aux menaces des gardes et aux ultimatums lancés par le seigneur Junos, la captive continuait à hurler de sa voix stridente des insultes au monde entier. En plus d'être dérangeante, elle était parfois carrément vulgaire. Rien ne semblait pouvoir la faire taire.

Cette jeune fille n'était nulle autre que Lolya qui, après avoir été capturée par Béorf dans la forêt des elfes noirs et ramenée à Berrion, agissait depuis ce jour de façon incohérente et grotesque. Par trois fois, elle avait essayé de mordre Junos pour se nourrir de son sang et, non contente de cet affront, elle avait tout démoli dans la salle du trône par frustration. Toujours en garde à vue, Lolya n'avait qu'une idée en tête: s'enfuir dans la ville pour terroriser les habitants. Exigeant qu'on la laisse libre, elle insultait son amie Médousa dès qu'elle le pouvait et se moquait de Béorf comme s'il était le dernier des imbéciles. Comme il était impossible de lui faire entendre raison, elle avait été condamnée par Junos à un court séjour de prison qui s'était rapidement muté en une détention définitive. Depuis, elle s'époumonait en hurlements.

Lolya avait été visitée par les plus grands spécialistes des troubles mentaux du royaume. Chacun d'eux l'avait attentivement observée et leurs conclusions variaient toutes d'une sommité à l'autre. Pour l'un, c'était un cas classique de possession par un esprit vilain, pour l'autre il s'agissait simplement d'un déséquilibre dans les humeurs de la patiente. Il y eut des dizaines de diagnostics suggérant comme traitement une diète sans viande rouge, une saignée au niveau de la tête pour y faire sortir la pression ou une immersion dans des bains de glace afin de geler ses mauvaises préméditations. Quelqu'un proposa même de lui faire manger des charbons ardents afin de lui brûler définitivement la langue et la voix. Cela ne règlerait pas le problème, mais au moins, on ne l'entendrait plus crier.

Devant cette situation délicate, Amos, Béorf et Médousa ne savaient pas quoi faire. Plongés dans la construction du Sanctuaire des Braves, ils essayaient de la visiter, mais Lolya refusait à tout coup de les voir. Il faut dire qu'Amos ne se portait lui-même pas très bien. Depuis la mort de Sartigan et la perte de ses masques, il n'était plus le jeune héros d'autrefois. Son enthousiasme à plat, il se couchait tôt et ne se levait qu'après midi. Pensif, désordonné et souvent dans la lune, il était constamment fatigué et ne semblait pas être en mesure de récupérer ses forces. Amos gardait à l'intérieur de lui une immense tristesse pour ce qu'il appelait ses trois échecs, soit la perte de ses masques, la mort de son maître et l'état de sa copine Lolya. Lui qui aimait tant les plaisirs simples de la vie, refusait maintenant d'aller à la pêche avec Béorf, d'aider le roi Junos à la cuisine du château ou de simplement prendre le thé avec Frilla, sa mère bien-aimée.

Amos faisait des cauchemars à répétition où il ressentait chaque fois le poids accablant de son inutilité. Sans comprendre pourquoi, il avait régulièrement la gorge serrée, respirait difficilement, souffrait maux de ventre, mais surtout, il avait dans le creux de son âme un sentiment d'oppression. Son attention et sa mémoire n'étaient plus ce qu'elles avaient été, il lui arrivait régulièrement de chercher ses mots et son sens de l'humour avait disparu.

Au quotidien, Amos avait plus l'allure d'un navire sombrant peu à peu dans la tempête qu'un jeune maître ayant l'avenir devant lui. En fait, sans ses pouvoirs, Amos n'était ni plus ni moins qu'un jeune homme ordinaire, sans aucun intérêt particulier. Enfin, c'est ce qu'il se répétait chaque matin en ouvrant les yeux. Amos oubliait cependant qu'avant d'avoir son tout premier masque, il était déjà un garçon exceptionnel doté d'une intelligence hors du commun.

Un matin, alors qu'il se sentait un peu mieux et qu'il avait envie de revoir sa copine, Amos marcha jusqu'au quartier des geôles afin de visiter Lolya.

– Ouvrez la porte, j'aimerais la voir…, ordonna Amos Daragon aux gardes de la prison.

– Tout de suite, mon bon prince, mais faites bien attention !, l'avertit l'un d'eux. Même enchaînée au mur de pierre, elle est forte et rapide. La dernière fois où je suis entré, elle a tenté de me mordre pour ensuite me cracher dessus. Je vous jure, Maître Amos, ce n'est pas de la tarte, cette petite !

– Oui, je la connais bien…, c'est mon amie Lolya, répondit calmement Amos. Ne vous en faites pas, je suis capable de me défendre. J'espère simplement qu'elle me reconnaîtra et que nous pourrons calmement parler tous les deux.

– J'espère aussi pour vous !, fit le garde. Mais quand vous dites, euh… copine, c'est copine ou petite amie que vous voulez dire ?

Amos hésita avant de répondre. Il savait bien que leur amitié avait évolué pour se transformer en un amour sincère, mais il lui apparut que tout cela était maintenant une histoire ancienne. Sans ses pouvoirs, Amos estimait qu'il ne valait plus rien aux yeux de Lolya et qu'avec sa beauté, elle pourrait facilement se trouver un autre amoureux plus intéressant que lui. Le prince de Berrion n'avait plus rien à offrir, sinon une vie rangée dans un château et quelques jolies robes. Rien de très intéressant pour une nécromancienne en mal d'aventures.

– Non, mentit Amos. Il s'agit uniquement d'une amie... une bonne amie qui m'a accompagné dans plusieurs de mes quêtes.

– Oui, c'est bien ce que je me disais aussi ! Je n'aurais pas aimé la voir sur le trône à côté de vous, celle-là, une vraie démente. Allez, bonne chance ! Je referme derrière vous... si vous avez un problème, ne vous gênez pas, moi et mon compagnon irons rapidement vous chercher. Nous sommes bien armés.

– C'est gentil, j'apprécie..., conclut Amos en pénétrant dans la prison.

Dès qu'il fut entré, le porteur de masques sursauta devant le lamentable spectacle qu'offrait Lolya. Enchaînée comme un dangereux fauve, elle portait des haillons imbibés de ses propres excréments. L'odeur était si forte qu'elle en devenait étourdissante. Autour d'elle, Lolya avait dessiné sur les murs avec son propre sang des signes démoniaques, d'horribles figures de diables ainsi que des lettres étranges venant d'un alphabet inconnu d'Amos. Échevelée, pouilleuse et défigurée par de nombreuses cicatrices, Lolya ne ressemblait plus du tout à la jeune princesse dogon, élégante et gracieuse, qu'elle avait jadis été.

– C'est ma faute, pensa Amos horrifié par la scène qu'il avait sous les yeux. J'aurais dû être là pour la protéger... Si j'avais pris quelques précautions avant de guider mes amis au pays d'Atrum, tout cela ne serait jamais arrivé ! J'ai mérité ce qu'il m'arrive, mais pas elle. Pauvre Lolya...

En quelques instants, Amos se remémora les instants fabuleux qu'il avait eus avec Lolya. Il se rappela leurs moments d'intimité où il s'était confié à elle sans avoir peur d'être trahi. Les nuits où elle s'était abandonnée dans ses bras et les fous rires qui les avaient fait vibrer au même diapason. Lolya l'avait aimé depuis le premier jour où ils s'étaient rencontrés et depuis, elle ne l'avait jamais abandonné, alors que lui l'avait laissée tomber.

Dans le fond de sa cellule, Lolya était calme et le porteur de masques s'en réjouit.

– Bonjour Lolya… Je ne veux pas te déranger, dit timidement Amos. Je voulais simplement te voir un peu, parler avec toi si c'est possible. Je ne voulais pas te réveiller…

Comme si elle perçait un épais brouillard, Lolya regarda attentivement celui qu'elle aimait encore de tout son cœur et esquissa un petit sourire discret. Honteuse de ce qu'elle était devenue, elle leva les yeux sur Amos, mais n'insista pas pour croiser son regard. La nécromancienne redoutait d'y reconnaître du dégoût envers elle. Lolya était devenue un monstre repoussant qui ne pouvait être aimé de personne.

– Elle dort, nous devons être prudents…, dit-elle à mi-voix. Si elle se réveille, je serai repoussée… Il faut parfois qu'elle se repose, elle aussi, c'est ainsi… Je suis désolée Amos, mais je n'ai plus de place dans ce corps… En fait, elle efface tout de moi, jusqu'à mes souvenirs,… mais pour l'instant, ça va, elle dort.

– Je ne comprends pas Lolya, répondit doucement Amos, qui dort ? Donne-moi des détails sur cette chose. J'aimerais tant pouvoir te venir en aide… Je suis désolé de t'avoir laissée tomber, mais je veux me rattraper si je le peux.

– Elle…, c'est Aylol…, la dague…, l'esprit…, le parasite…, comprends-tu ? Je suis en sursis et c'est elle qui décidera de ma fin… Au moment où elle jugera que je lui suis inutile, elle m'effacera à jamais.

– Il y a un autre esprit en toi ?, demanda Amos qui essayait de comprendre. C'est bien cela ? Tu es possédée par un autre esprit ? Explique-moi comment c'est arrivé…

– J'aurais dû te le dire bien avant, mon bel Amos… Mais, j'ai craint que tu ne veuilles pas d'une morte, car c'est bien ce que je suis, morte ! Je ne regrette rien, car si je n'avais pas cédé à Aylol, je n'aurais jamais pu vivre notre premier baiser… Je lui dois beaucoup même si présentement, elle me tue !

– J'aimerais tellement comprendre ce que tu me dis, Lolya…, soupira Amos. J'aimerais t'aider, mais je ne sais pas par où commencer. Connais-tu un médicament, une plante ou un objet magique qui pourrait te soulager de ce mal ? Demande ce que tu veux et j'irai le chercher au bout du monde s'il le faut !

– Je te demande une seule chose, de m'oublier… Laisse-moi, je t'en prie.

– Mais je ne peux pas…, lui dit Amos. Je pense à toi tous les jours, mais malgré toute ma volonté, je n'arrive pas à organiser mes idées... Je me sens responsable et impuissant ! Aide-moi à te venir en aide, Lolya.

– Lorsque je t'ai sauvé de la prison des elfes noirs, je t'ai fait jurer de ne plus jamais tenter de me voir et te voilà aujourd'hui dans ma geôle..., soupira la nécromancienne. Maintenant, c'est l'image que tu auras de moi pour le reste de tes jours. Je voulais que tu me quittes sur une bonne impression... Tu as tout gâché, encore une fois.

Deux grosses larmes coulèrent sur les joues de Lolya.

– Je ne connais pas encore la façon de m'y prendre, mais je te jure de te libérer de cet enfer..., promit Amos, la voix étouffée par l'émotion. Même si je dois y travailler pour le reste de mes jours, je ne t'abandonnerai pas, Lolya. Je dois commencer par me refaire des forces, puis je crois pouvoir...

– C'est gentil Amos, le coupa la nécromancienne, mais tu n'arriveras à rien. Le mal est en moi et je ne suis pas assez forte pour l'affronter. La partie est terminée, j'ai perdu... D'ailleurs, elle se réveille ...Adieu Amos, adieu mon bel amour...

– Lolya ! ?

La nécromancienne fit alors un prodigieux bond en avant et tenta de saisir Amos à la gorge. Heureusement, les chaînes l'arrêtèrent net dans son mouvement et elle tomba face contre terre.

Amos eut le réflexe de s'éloigner de quelques pas.

– TOI, ICI ! ?, hurla Aylol en se relevant. Que fais-tu chez moi, putois ! ? Tu profites de mon sommeil pour voir Lolya, salopard ! Elle est à moi, tu comprends ? C'est mon amie, pas la tienne ! Ne remets plus les pieds ici ou je te tuerai, cochon de mortel !

Sous le choc, Amos prit quelques bonnes respirations. Jamais il n'avait vu Lolya dans un tel état. De toute évidence, il y avait bien une créature immonde qui sommeillait dans le corps meurtri de Lolya. Une autre conscience cohabitait dans son esprit.

– Maître Daragon ?, demanda un des gardes à travers la porte de la cellule. Tout va bien ? Maître, répondez-moi !

– Oui, tout va bien !, réagit Amos. Ne vous inquiétez pas ! J'ai le contrôle de la situation.

– À ta place, limace, je m'inquiéterais un peu plus que ça !, grogna Aylol. Le jour où tu n'auras pas le contrôle de la situation, je vais te faire ta fête ! Je te jure que tu vas payer pour ces chaînes et cette geôle ! On n'enferme pas Aylol de cette façon !

– Aylol ? C'est bien ton nom ?, s'enquit Amos qui essayait de comprendre l'étrange comportement de son amie. Tu te nommes Aylol, c'est bien ça ?

– En quoi ça te concerne, gros lourdaud ?

– Aylol, c'est l'écriture inverse de Lolya.

– Bien vu, tu es un génie ! C'est une grande découverte, je te félicite !

– D'où viens-tu, Aylol ? Et pourquoi habites-tu le corps de Lolya ?

– Tu me demandes d'où je viens, ahuri, alors que c'est toi-même qui es venu me chercher ! SORS D'ICI ! Tu es trop bête pour comprendre, trop imbu de toi-même, de ta mission et de tes exploits pour trouver la moindre réponse à tes questions ! Tu aurais dû savoir ! Tu aurais dû voir ce qui clochait avec ta copine Lolya, mais au lieu de ça, tu l'as laissée et tu es parti pour ta stupide quête de l'équilibre du monde... Alors il ne lui restait plus que moi, à Lolya..., et tout allait bien et tu es revenu faire ton cirque ! Tu es revenu chez les Dogons pour lui enflammer de nouveau le cœur ! Et voilà où nous en sommes aujourd'hui ! Lolya ne te parlera plus jamais, car c'est moi, maintenant, qui décide pour elle ! C'est moi qui en ai le contrôle !

Amos se composa une mine déconfite, soupira un bon coup puis, dépité, il fit mine de se retirer. Puis, rapide comme l'éclair, il bondit sur Aylol et la plaqua violemment sur le mur. En utilisant une technique de son défunt maître, il lui enfonça un doigt dans le cou, juste sous la gorge, et un second dans la nuque, près de la base du crâne. Aussitôt, le corps de Lolya se paralysa. Malgré ses protestations, Aylol pouvait à peine bouger. Encore une fois, les enseignements de Sartigan portaient ses fruits.

– Maintenant, c'est moi qui parle et toi qui écoutes, dit calmement Amos. Je t'ai posé une question et j'aimerais que tu y répondes sinon, Aylol, je te ferai mal..., très mal... Tu comprends ?

Le démon qui habitait le corps de Lolya n'était pas immunisé contre la douleur. Habiter une enveloppe corporelle avait des avantages, mais aussi l'inconvénient de pouvoir ressentir la souffrance.

– Mais… mais que fais-tu… C'est terrible… J'ai mal… Arrête, c'est trop douloureux… Je ne peux plus bouger.

Afin de lui faire ressentir le sérieux de ses demandes, Amos exerça une pression légèrement plus forte à la base de son cou. L'effet fut instantané.

– D'ACCORD ! Je… je dirai tout… tout de suite…, mais arrête… j'ai mal ! ! !, cria Aylol.

– Non, je n'arrêterai pas tant et aussi longtemps que je n'aurai pas de réponses à mes questions…, fit calmement Amos toujours menaçant. Alors, écoute bien, ne me fais pas répéter et tout ira bien pour toi. Je te demande pour une dernière fois, qui es-tu et d'où viens-tu ?

– Je suis une entité parasitaire qui habitait la dague de Baal, répondit d'un souffle Aylol. J'ai sauvé Lolya de la mort en lui insufflant ma force vitale… Sans moi, ta copine serait morte depuis longtemps… et depuis, nous vivions en symbiose, mais les elfes noirs nous ont séparées et ta petite amie ne s'en est pas remise… J'ai alors choisi de quitter la dague et de prendre son corps comme hôte… Elle est devenue ma propriété… Pour moi, c'était une question de survie, tu comprends ? Lolya était déjà morte, je n'ai fait que réclamer son corps…

– Mais Lolya vit encore en toi, n'est-ce pas ? Je lui ai parlé tout à l'heure !

– ARRÊTE, ÇA FAIT TROP MAL ! ! !

– Explique !

– Je peux t'assurer que je te dis la vérité !, fit Aylol qui n'avait jamais été aussi honnête de sa vie. Oui…, que la vérité ! Plus le temps passe, plus elle disparaît… Dans quelques mois, ta copine se sera évanouie et il ne restera plus que moi… Son âme la quitte et le processus est irréversible ! Tu ne peux rien faire pour elle ! C'est terminé…

– Et si je te demandais de me la rendre et d'aller parasiter un autre corps ?

– Ce n'est pas possible, ce n'est pas de cette façon que ça fonctionne ! Je dois établir un lien avec quelqu'un… Ça prend du temps, plusieurs mois… Tu ferais mieux d'oublier Lolya… Elle est morte… Déjà sa conscience me quitte un peu plus tous les jours…

– Il doit y avoir une façon de la garder vivante ?

– Je te jure, dit Aylol, je n'en connais pas…

– Je comprends mieux maintenant…, soupira Amos. Je veux bien te croire…

– Alors, relâche-moi… s'il te plaît, s'adoucit Aylol.

– Seulement si tu me promets de te taire !, menaça Amos. Je ne veux plus t'entendre hurler la nuit et à partir de maintenant, tu te gardes bien d'user d'un vocabulaire ordurier ! Sinon, je vais revenir et je te ferai beaucoup plus mal, c'est bien entendu ?

– Oui… oui, oui, c'est très clair… Terminé, le vacarme nocturne… Je cesse de dire des mauvais mots et... aïe ! Je serai gentille avec mes geôliers..., c'est promis, c'est juré !

– Et comme tu demeures dans le corps de mon amie, continua Amos, tu vas prendre soin d'elle et commencer par te laver ! Je reviendrai vérifier.

– Oui, propre ! Je serai propre.

Amos relâcha son étreinte, laissant tomber Aylol lourdement au sol. Soulagé, le démon se réfugia, apeuré, dans le coin de sa cellule.

– Vous pouvez ouvrir, lança Amos aux gardes qui s'exécutèrent aussitôt. Merci Messieurs... Cette chose qui vit dans le corps de mon amie ne vous fera plus de problèmes. Apportez-lui une bassine d'eau et du savon !

– Ce sera fait, Maître Amos !, lui confirma l'un des hommes.

Le cœur en morceaux et l'âme aussi lourde qu'une montagne de pierres, Amos sortit de la prison et se dirigea près de la fontaine pour y boire un peu d'eau. Bouleversé par la rencontre, il ignorait comment venir en aide à Lolya. S'il avait eu ses pouvoirs, il aurait pu tenter d'emprunter les voies de l'éther pour contacter l'âme de son amie, mais sans ses masques, la chose devenait impossible. Pour l'aider à trouver une solution, Sartigan aurait pu lui donner quelques bons conseils. Malheureusement, le vieil homme était mort et plus jamais Amos n'aurait accès à ce puits de sagesse. Plus que jamais, le porteur de masques se sentait seul et se trouvait sans option. Lui qui avait l'habitude de prendre le taureau par les cornes afin de maîtriser sa destinée, il se voyait maintenant l'esclave d'une fatalité difficile à accepter.

– Ainsi, pensa-t-il, c'est moi qui ai rapporté la dague de Baal des enfers et qui l'ai donnée à Lolya... Je suis donc complètement responsable de son état actuel. Plus le temps passe, plus je me rends compte que je ne mérite pas son amitié et encore moins son amour. Elle aurait vécu une vie beaucoup plus heureuse sans moi... Même chose pour les gens que j'ai connus et qui ont perdu la vie parce qu'ils ont choisi de m'assister dans ma mission. Je n'ai qu'à penser à Koutoubia, à Banry et aux béorites d'Upsgran, de plus je...

– Pardon !, dit une voix mélodieuse tout près d'Amos.

Perdu dans ses noires pensées, le prince de Berrion leva la tête, mais ne vit qu'une ombre devant lui. Le soleil de midi était trop éblouissant.

– Bonjour !, lança une belle jeune fille rousse aux cheveux tressés avec un ruban de soie. Désolée, Maître Amos, mais j'aurais besoin de remplir ma cruche d'eau et vous êtes devant la fontaine. Je ne voulais pas vous déranger, car vous sembliez perdu dans vos pensées, mais comme mon père attend de l'eau fraîche pour la soupe, je me suis permise.

– Oh, je suis désolé... Je... j'étais perdu dans mes pensées, lui répondit-il.

– C'est exactement ce que je viens de dire !, lui fit remarquer la jolie rousse. Les affaires du royaume semblent beaucoup vous préoccuper. En plus, vous n'avez pas très bonne mine, on dirait que vous sortez à peine du lit !

Soudain, elle se ravisa. Manifestement, elle avait oublié qu'elle parlait à un prince et qu'il méritait plus de respect de sa part.

– Oh, mais je suis désolée, je n'ai pas à vous parler de cette façon ! C'est que tout le monde à Berrion vous connaît et que je…

– Il n'y a pas de faute, répondit Amos pour la rassurer. C'est bien vrai que j'ai l'allure d'un mendiant qui aurait besoin d'un bon bain et d'une bonne coupe de cheveux ! Je vous demanderais d'excuser mon apparence en vous disant que les derniers jours ne furent pas de tout repos !

La jeune rousse se dit qu'il lui fallait saisir la chance que le destin lui offrait. Ce n'était pas tous les jours qu'un prince, un héros estimé de tous, croisait sa route. Il fallait agir vite et bien.

– Peut-être avez-vous besoin de vous égayer l'esprit ?, lui demanda-t-elle sur un ton naïf, mais intéressé. Ce soir, il y a une fête sur la promenade du grand fossé ! Les troubadours de Bratel-la-Grande y seront pour faire danser la foule et je n'ai pas de cavalier pour m'y accompagner. Je vous invite, si vous le désirez !

– Vous désirez que je sois votre partenaire de danse ?, sourit Amos flatté. Je danse comme une grue qui aurait les deux pattes cassées ! De plus, je n'ai pas vraiment la tête à m'amuser…

– Moi, je danse très bien… Je vous enseignerai… Et puis il y aura un banquet et de bien bonnes choses à se mettre sous la dent ! Mais je ne veux pas insister et vous rendre mal à l'aise… Après tout, je vous sais occupé avec les affaires du royaume et la construction de votre Sanctuaire des Braves dont tout le monde parle là-haut, dans les montagnes...

Amos prit quelques secondes de réflexion, puis il se dit que cette petite fête lui ferait sans doute du bien. Il ne s'était pas amusé depuis longtemps et cette fille, d'une rare beauté, avait un sourire à faire fondre le plus froid des hommes.

– Quel est votre nom ?, lui demanda Amos.

– Je me nomme Hermine et je suis la fille du tonnelier du quartier de la fosse aux étourneaux, répondit-elle avec un éclat de joie dans l'œil. Je crois remarquer à votre sourire que la proposition vous intéresse ?

– Oui, répondit un peu timidement Amos. Et je vous promets d'avoir une meilleure mine.

– Venez comme vous êtes, je me chargerai de vous égayer ! Alors, je suppose que tout est en ordre et que j'ai officiellement le prince de Berrion comme cavalier ce soir ? J'en connais autour de moi qui seront vertes de jalousie ! Et mon père n'en croira pas ses oreilles lorsque je lui annoncerai la nouvelle.

– Je vous retrouverai là-bas, à la porte du grand fossé, juste avant la tombée de la nuit, lui confirma Amos.

– C'est une excellente nouvelle, Maître Amos !, se réjouit Hermine en soulevant sa cruche maintenant remplie d'eau. Vous avoir à mon bras sera un honneur et je m'en montrerai digne.

– Laissez-moi vous aider, fit galamment Amos. Je peux porter cette cruche jusque chez votre père… et je le rassurerai en même temps sur mes intentions.

– Pas nécessaire, cher prince, vous êtes connu comme un gentilhomme, l'interrompit Hermine. Grâce à vous, je me sens aussi forte qu'une jument et en même temps aussi légère qu'une plume ! À plus tard, cher cavalier !

– À plus tard, rigola Amos, flatté de l'effet qu'il venait de produire.

Amos regarda s'éloigner Hermine. Cette fille venait de lui mettre un peu de baume sur le cœur. Pour un instant, il avait oublié ses tracas.

– Je me sens mal de m'amuser alors que Lolya est emprisonnée, pensa-t-il en poussant un long soupir. En même temps, j'ai bien besoin de me changer les idées…, mais qu'est-ce que ? !

Le porteur de masques leva les yeux au ciel et vit son dragon Maelström s'envoler en emportant une impressionnante cargaison de bois entre ses pattes.

– Encore un chargement pour la construction du Sanctuaire des Braves, se dit-il. Je vais aller au chantier avant de me préparer pour la fête, Béorf doit m'y attendre impatiemment !

# Chapitre 2

# Le bois, la pierre, la musique et le sang

Béorf était debout sur une impressionnante butte de pierres. De sa position, il dirigeait les opérations de réception des matériaux pour l'érection du Sanctuaire des Braves. Pour se rendre sur ces terres éloignées, le transport de tous les éléments de la construction devait se faire par voie aérienne. Flag y avait dépêché quatre de ses flagolfières qui, accompagnées de Maelström, pouvaient transporter une incroyable quantité de poutres, de pierres taillées, de planches, mais aussi de meubles. Les chargements arrivaient à un bon rythme dans un flot ininterrompu. Dès qu'une flagolfière était vidée, une autre, bien chargée, se pointait déjà à l'horizon. Certaines arrivaient des grandes forêts de cèdres du sud de Berrion, d'autres des mines du Nord du royaume d'Omain. Il y avait bien du bois et de la pierre là où Amos avait prévu construire le Sanctuaire des Braves, mais il ne voulait rien modifier au paysage de l'endroit. Bien que le secteur semblât inhabité, il y avait peut-être des créatures humanoïdes sur ces terres. Aussi bien faire les choses dans l'harmonie afin de ne pas déplaire et utiliser des matériaux provenant d'endroits prévus pour l'approvisionnement en matières premières. C'était certes plus long et plus coûteux, mais le respect de la création de la Dame Blanche méritait ces quelques efforts supplémentaires.

– LE BOIS DE CÈDRE SUR LE DÉBARCADÈRE ROUGE !, hurla Béorf dans un porte-voix à une flagolfière en descente. ROUGE ! J'AI DIT ROUGE ! ROUUUUUGE ! C'EST ÇA ! JE VOUS ENVOIE L'ÉQUIPE DES DÉBARDEURS !

À son signal, une trentaine de solides gaillards en pause qui dégustaient du thé et des biscuits déposèrent leur tasse et se remirent au travail. Ces hommes étaient des vétérans-débardeurs des quais de Tom-sur-Mer et de Lys-sur-Rives venus prêter main-forte. Leurs anciens ports d'attache étant les lieux de réception des meilleurs thés provenant du sud de Delatawan, ils avaient développé une expertise hors du commun en la matière et ils se faisaient, à chacune de leur pause, de petites séances de dégustation qu'ils agrémentaient de biscuits du pays. Ces colosses au dos large et aux muscles noueux étaient impressionnants à voir boire, une petite tasse à la main, tout en échangeant sur les parfums sucrés et la couleur dorée ou cuivrée de leur breuvage. Ces hommes n'avaient jamais voyagé que par le thé. À la seule évocation d'un parfum, ils pouvaient dire avec précision la provenance du théier, sa méthode de culture, le climat sous lequel il avait poussé et à quel peuple il devait sa croissance.

Mais il n'y avait pas qu'eux d'experts au Sanctuaire des Braves. Une équipe des meilleurs maçons et charpentiers de Berrion, qui ne connaissaient pas aussi bien la science du thé, mais maîtrisaient les moindres secrets de leur métier, se relayaient jour et nuit. Sous le soleil de ce début d'hiver dans les montagnes ou sous les flammes de grandes torches qui défiaient la nuit, ces hommes travaillaient sans relâche. Chaque jour, ils regardaient les nuages en espérant que les premières neiges ne les surprennent pas trop rapidement. La bise des derniers jours leur faisait penser que l'aquilon allait bientôt se présenter. Chaque matin, une fine couche de givre recouvrait l'herbe longue de la vallée. Bientôt, la petite rivière se transformerait en un miroir de glace d'où il serait de plus en plus difficile de puiser l'eau. Il fallait donc redoubler d'ardeur afin que le chantier soit suffisamment avancé avant sa fermeture.

– Très bien, vous posez le matériel juste ici !, lança Béorf à un autre lurican conducteur de flagolfière en approche au-dessus de lui. ICI ! J'AI DIT JUSTE LÀ ! NON, PAS LÀ ! LÀ ! ICI ! À CÔTÉ DU… MAIS VOUS ÊTES SOURD ! OUI… C'EST ÇA… AVEC LES AUTRES POUTRES ! PARFAIT ! JE VAIS DÉTACHER LA CARGAISON, VOUS POURREZ REPARTIR ET FAIRE UN DERNIER VOYAGE AVANT LA TOMBÉE DU JOUR ! COMMENT ? VOUS AVEZ CUMULÉ TROP D'HEURES DE VOL DANS VOTRE SEMAINE ! ? ET PUIS QUOI ? VOUS AVEZ DROIT À UNE PAUSE, C'EST

INSCRIT SUR VOTRE CONTRAT?! Mais de quoi il me parle, celui-là!

Béorf détacha le chargement de poutres et fit signe au conducteur de retourner immédiatement à Berrion sous peine de recevoir un coup de pied au derrière. Frustré, le lurican se résolut à obéir, en maugréant toutefois que les conditions de travail sur le chantier étaient inadmissibles et rétrogrades. Ce à quoi Béorf rétorqua en lui montrant les dents. De belles grandes canines d'ours qui n'entendait pas à discuter. À ce moment, le pilote changea d'attitude et insista pour faire deux voyages plutôt qu'un avant le coucher du soleil.

– Béorf!, appela Médousa alors que le béorite retrouvait son calme. Nous avons un problème! Les débardeurs-buveurs de thé sont épuisés et ne sont plus capables de transporter les pierres des fondations! Il faut absolument que tu les aides, sinon les maçons manqueront de matières premières. Les piliers des fondations doivent sécher en bloc et non par section! Tu comprends la nature du problème!

– J'ai quarante béorites qui devraient arriver d'ici peu pour prêter main-forte aux petits humains sans muscles, lança Béorf un peu exaspéré. Flag est parti les chercher en début de journée et il devrait bientôt être là!

Au loin, une clameur lui fit tourner la tête.

– D'ailleurs, regarde!, continua Béorf. Je crois bien que ce sont eux qui arrivent! Tu vois la flagolfière, juste au-dessus des deux collines. Ce sont eux!

– Parfait ! Je vais leur dire que de vrais hommes arrivent en renfort pour accomplir la tâche, ça fouettera leur orgueil !, s'amusa Médousa.

– Et moi, je dirai aux béorites avant de les envoyer au travail que les humains de Tom-sur-Mer et de Lys-sur-Rives travaillent comme des chefs et que, finalement, ils pourront vite retourner à Upsgran. Vaniteux comme sont les béorites, ceux-ci travailleront trois fois plus fort sur le chantier !

– Tu es un vrai chef, mon beau Béorf, le complimenta Médousa.

– Toi, tu es une vraie meneuse de chantiers, ma belle gorgone.

– Et le premier que je vois paresser, je le transforme en pierre !, rigola Médousa.

– Voilà une bonne source de motivation au travail, pouffa Béorf.

Béorf et Médousa filaient ensemble le parfait bonheur. Surtout depuis le retour d'Amos qui les avait fait renouer avec l'aventure. À Upsgran, ils étouffaient lentement dans leur quotidien. En tant que chef, Béorf réglait surtout des problèmes de bon voisinage et passait ses journées dans des conflits souvent idiots. Pendant ce temps, Médousa se promenait, nageait, s'entraînait un peu aux armes, mais s'ennuyait surtout. Et comme elle n'avait pas exactement le même régime alimentaire que Béorf, jamais ils ne partageaient de repas en tête à tête. Son copain, ne supportant pas de la voir croquer des vers, des araignées ou des papillons de nuit vivants pendant qu'il savourait une bonne pièce de viande, elle se retrouvait toujours seule au moment où ils auraient pu dialoguer. Ses journées étaient longues et monotones. De plus, elle sentait très bien que Béorf n'aimait pas beaucoup son rôle de chef à Upsgran, mais qu'il l'assumait parce qu'il était de la famille Bromanson, et que les Bromanson étaient chefs de père en fils depuis la nuit des temps. Mais aujourd'hui, tout avait changé ! Médousa avait de nouveau une tâche à accomplir et son Béorf travaillait pour une cause. La flamme qui les avait jadis unis s'était ravivée !

C'est alors que Médousa et Béorf rigolaient ensemble comme des gamins qu'Amos, monté sur Maelström, arriva au chantier du Sanctuaire des Braves. Le dragon y déposa son maître ainsi qu'une importante quantité de planches, puis repartit aussitôt pour un autre aller-retour. Amos le remercia d'un signe de la main.

– Bon, le voilà enfin !, s'exclama Béorf. Tu te rends compte de l'heure qu'il est ? Tout le monde te réclame et, comme par hasard, ils se tournent tous vers moi pour que je les rassure ! Je ne sais quoi leur dire, moi…

Amos secoua la tête en signe d'agacement. Rapidement, le béorite comprit que son ami n'était pas en très grande forme et cessa ses réprimandes. Depuis qu'il avait perdu ses masques, Amos Daragon n'avait plus l'allure d'un prince aventurier, mais plutôt d'un jeune homme portant le poids du monde sur ses épaules. Lui, qui marchait généralement le dos droit, avait maintenant les épaules voûtées. La lumière d'intelligence qui scintillait dans ses yeux avait disparu. Il était moins volubile, plus introverti. Son charmant sourire avait disparu et, souvent, il ne tressait plus ses cheveux en une natte, comme autrefois. Il laissait sa chevelure libre, au vent, ce qui lui donnait l'air ébouriffé d'un palefrenier.

– Bon, mais… euh, balbutia Béorf. L'important, c'est que tu sois arrivé, n'est-ce pas ?

Amos esquissa un petit sourire. Il aimait que Béorf, qui avait bien raison de lui faire la leçon, le ménage un peu.

– Alors, voyons ça !, fit Béorf en ouvrant le grand livre des tâches qu'il portait sur lui. Premièrement, Junos est dans la tente royale et il veut ton avis sur le plan des jardins qu'il vient de terminer. Il a choisi les fleurs selon les saisons en montagne et il désire aussi te parler d'une fleur des neiges qu'il aimerait faire cueillir en Hyperborée. Deuxièmement, le charpentier Lonfils veut connaître ton choix pour les bardeaux du toit. Celui-ci a trois modèles de différentes essences à te présenter et il voudrait t'entretenir d'un nouvel isolant de sa fabrication qu'il réalise avec de la mousse de tourbe. C'est apparemment plus cher, mais c'est de meilleure qualité. Troisièmement, il semble bien que les maçons ne comprennent pas tes indications quant à la structure de la cheminée ! Il faudra que tu recommences tes explications. Quatrièmement, le sourcier de Myon prétend que…

À ce moment, Amos se laissa tomber en position assise et poussa un long soupir.

– Il prétend que… qu'il peut bien s'arranger seul, n'est-ce pas ?, continua Béorf compatissant pour son ami. Et puis les jardins peuvent bien attendre que l'hiver soit passé et je m'occupe des charpentiers et des maçons. Bonne nouvelle, Amos ! Ta liste est vide ! C'est une bonne nouvelle ça, non ?

– J'ai rendu visite à Lolya…, répondit Amos sans se soucier de la question de Béorf.

– Comment se porte-t-elle ?, demanda Béorf en place à côté de lui. Sa situation se dégrade, c'est ça ?

– Elle ne va pas très bien… Je ne l'ai jamais vue dans cet état, c'est terrible… dramatique ! Mais heureusement, aujourd'hui j'ai bien compris la source de son mal. Elle est possédée par un démon que j'ai moi-même ramené des enfers sans le vouloir. J'ai cru comprendre qu'il était caché dans la dague de Baal. Ce serait lors de notre passage chez les elfes noirs que cette entité aurait totalement pris possession du corps de Lolya. Depuis, l'esprit malin prend de nouvelles forces de jour en jour et, bientôt, il aura complètement avalé l'âme de Lolya. Cette chose se nomme Aylol et je dois t'avouer qu'elle n'est pas commode.

– Que pouvons-nous faire pour elle ?, s'inquiéta Béorf. Il y a certainement un moyen de la sauver ! Nous pourrions débusquer deux ou trois sorcières capables de forcer cette Aylol à rentrer chez elle ?

– Peut-être, je ne sais pas… Pour l'instant, je ne vois rien, je… je…, balbutia Amos, je ne sais pas quoi faire ! Depuis que j'ai perdu mes pouvoirs, je me sens complètement démuni… J'ai l'impression de tourner en rond et de perdre du temps. Je me sens complètement vide ! On dirait que je n'ai plus d'âme ! Je suis incapable de prendre une décision, Béorf !

– Je te comprends…, fit Béorf pour le rassurer. Moi, si on m'enlevait ma capacité de me transformer en ours, j'aurais l'impression d'être un autre. De toute évidence, je ne serais plus moi-même.

– Je vais… je vais certainement trouver une solution pour Lolya, mais pour l'instant, j'ai besoin de repos. Si tu le permets, je vais demander à Maelström qu'il me ramène à Berrion. Je ne me sens pas capable d'affronter le travail qui m'attend ici… Tout ce dont j'ai envie, c'est de me changer les idées.

– T'inquiète, je m'occupe de tout !, répondit Béorf en le gratifiant d'une bonne claque sur l'épaule. Je resterai ici avec Médousa… Nous avons prévu une petite escapade à la pleine lune ce soir ! Tu sais, il y a longtemps que nous n'avons pas eu un peu de temps pour nous et… bon… tu comprends ?

– Très bien ! Alors bonne soirée, les tourtereaux ! Je vais prendre quelques minutes pour raconter à Médousa la triste histoire de sa meilleure amie, puis je quitterai les lieux ensuite.

Amos quitta Béorf pour se rendre auprès de la gorgone. Il lui parla longuement sans chercher à la ménager. Médousa versa quelques larmes, puis elle se consola dans les bras d'Amos. La situation de Lolya n'avait rien d'enviable et, tout comme Amos, Médousa ne pouvait rien y changer. Il semblait bien que sa copine était condamnée à disparaître sans que quiconque ne puisse inverser le processus. Cette situation était frustrante, difficile à accepter et semblait sans issue.

Sans grand intérêt, Amos fit ensuite le tour du chantier. Attendant l'arrivée de son dragon, il se rendit ensuite voir les différents chefs des corps de métier présents sur le chantier, mais renvoya leurs interrogations vers Béorf. Comme il l'avait dit plus tôt, il ne se sentait pas la force de prendre une décision, aussi minime soit-elle.

Dès que Maelström pointa son nez à l'horizon, Amos bondit sur lui. Le prince de Berrion avait rendez-vous avec une jeune fille et il ne voulait pas être en retard.

Arrivé au château, Amos fit préparer un bain très chaud et s'y plongea longuement. Enveloppé par l'eau bienfaitrice, il se remémora les bons moments passés avec Lolya. Tendre et gentille à son égard, elle avait été patiente et remplie d'indulgence envers sa mission de porteur de masques. Toujours à ses côtés pour l'appuyer dans les bons et les mauvais moments, elle s'était montrée dévouée et courageuse, forte et enthousiaste même dans les pires épreuves.

– Et je la remercie de quelle façon ?, se dit Amos honteux. En m'exposant à une fête de quartier avec la belle Hermine, la fille du tonnelier ! Je suis un type méprisable… Je n'arrive pas à la cheville de Lolya.

De grosses larmes coulèrent soudainement sur les joues d'Amos.

– Mais que se passe-t-il ? Qu'est-ce qui m'arrive ? Quel est ce mal qui s'est emparé de mon âme et qui me pousse vers les ténèbres ? Je ne me suis jamais senti aussi faible et petit de toute mon existence… Même dans les enfers, alors que ma vie était constamment menacée, j'avais plus de courage. Peut-être ai-je hérité d'un démon moi aussi ? Un monstre qui bientôt prendra mon corps et mes pensées en otage…

Puis ce fut la crise de larmes. Amos pleurait sans pouvoir expliquer la source profonde de sa tristesse.

– Je sais que Lolya ne me laisserait pas tomber, elle !, se dit-il en reprenant son souffle. Si j'étais à sa place, elle ferait tout en son pouvoir afin de me sortir du pétrin. Et moi, au lieu de m'activer, je prends un bain et je pleure comme un gamin. Décidément, plus j'y pense et plus je me trouve pitoyable. Bon… Je dois me ressaisir… Je dois me ressaisir… Je dois me ressaisir.

Amos avait fait une promesse à Hermine et il comptait bien la respecter. Il irait danser quelques pas avec elle, puis il reviendrait vite au château afin de se plonger dans des bouquins de démonologie et de possession. S'il y avait une façon de négocier avec Aylol, il la trouverait ! Il irait, à partir de ce soir, travailler tous les jours dans la bibliothèque du château. Amos en connaissait très peu sur l'ensorcellement, mais il apprendrait vite. Il s'en fit la promesse solennelle, ce qui l'aida à retrouver assez d'énergie pour sortir du bain et commencer à se préparer.

– Oui, c'est la meilleure solution !, pensa-t-il, toujours aussi motivé, en enfilant ses vêtements royaux de soie et de laine. Au risque de décevoir Hermine, je m'excuserai de ma brève présence à ses côtés et je prétexterai des affaires du royaume à régler. Elle comprendra... Enfin, qu'elle comprenne ou non, il en sera ainsi. J'aurai tenu ma promesse envers elle et ensuite au travail !

Convaincu de prendre enfin une bonne décision, Amos enfila sa cape de prince, ses hautes bottes de cavalier et sa ceinture dont la boucle était à l'effigie des chevaliers de l'équilibre, puis quitta ses quartiers en direction de la basse ville et de la promenade du grand fossé.

– « Désolé Hermine... », euh, non... plutôt, « Hermine, je suis désolé, mais les affaires du royaume... », non, c'est trop grave !, répéta Amos afin de dire les bons mots une fois en face d'Hermine. « Ma chère amie, tu me verras désolé... », pfft ! « Désolé, je dois vous quitter ! Les affaires du royaume me pressent et... », non, mais là, je suis vraiment mauvais ! « Une prochaine fois, peut-être, douce Hermine, je serai moins dans les affaires et plus dans la danse... », grrr !

Arrivé à la porte, son point de rendez-vous, Amos n'avait pas encore trouvé la bonne formulation. Heureusement, car il en aurait perdu ses mots en voyant Hermine, resplendissante de beauté, qui l'attendait dans une magnifique robe paysanne verte. Ainsi enveloppés de cette couleur, ses cheveux roux ressemblaient à des flammes qui dansaient légèrement sur sa tête. Ses yeux scintillaient tels des saphirs alors que sa peau, blanche comme la neige, semblait avoir la douceur d'une mie de pain. Couronnée d'un assemblage de marguerites et de roses, la jeune femme resplendissait de beauté et de bonheur.

– Vous êtes… vous êtes magnifique, Hermine !, s'exclama Amos en s'approchant pour la saluer. J'ai rarement vu une jeune fille aussi en beauté que vous.

– Je désirais être à la hauteur de mon cavalier, répondit-elle rougeoyante de timidité. Permettez-moi de vous retourner le compliment, prince de Berrion.

– Trêve de flatterie !, rigola Amos. Allons tout de suite à la fête, car je ne pourrai pas demeurer en votre compagnie très longtemps, Hermine, les affaires du royaume me rappellent à l'ordre ce soir…

Amos avait formulé correctement sa phrase. Par contre, il l'avait dite sans grande conviction. Lui qui, deux secondes plus tôt, s'était motivé afin de travailler toute la nuit, se voyait grandement refroidi dans ses ardeurs. La beauté d'Hermine avait eu raison de ses bonnes intentions.

– Dans ce cas, je savourerai chaque instant en votre compagnie plus intensément… Ne perdons pas de temps, j'attends que les musiciens accordent leurs instruments !, répondit la fille charmée de passer un peu de temps aux côtés du prince.

Bras dessus, bras dessous, Amos et Hermine se rendirent jusqu'au lieu des célébrations. Les spectateurs applaudirent chaleureusement l'arrivée de leur prince et les musiciens insistèrent pour qu'il exécute, avec sa compagne, la première danse. Amos accomplit son devoir un peu maladroitement, mais avec l'aide d'Hermine, il fit, malgré son manque de talent, très bonne impression.

– Ils font un couple magnifique !, dit une paysanne à sa voisine.

– Oui, vraiment ! De la grâce et de l'élégance, répondit la femme. C'est beaucoup mieux que la petite noire avec laquelle il a l'habitude de se montrer en public ! Moi, je ne dis pas qu'elle n'est pas jolie à sa façon, mais ce n'est pas une fille du pays !

– Alors qu'Hermine, c'est une bonne petite de chez nous, une fille comme il faut, élevée par un père qui a de bonnes valeurs ! Et puis elle a la couleur de nos gens…

– Elle nous ferait une belle princesse, celle-là, puis une belle reine, n'est-ce pas ?, demanda à voix haute la femme à son entourage.

Ce à quoi tout le monde acquiesça.

Loin de ces bavardages et plus à son aise sur la piste, Amos demeura le temps d'une deuxième et d'une troisième danse avant de s'excuser de son départ auprès de sa cavalière. Celle-ci insista pour qu'ils partagent ensemble une chope d'hydromel et Amos y consentit.

– Oui, c'est bien elle !, fit le tonnelier à son ami le boulanger. C'est bien ma fille qui s'amuse avec le prince ! Je sais que c'est un bon garçon et j'ai donné ma bénédiction pour qu'ils se voient ! Hermine est aussi belle que n'importe quelle princesse, alors c'est un peu normal qu'elle attire l'attention des princes ! Elle est aussi belle que sa défunte mère…

– Et tu crois qu'ils vont se marier ?, demanda le boulanger. Du coup, c'est ta famille qui serait élevée au rang de la noblesse de Berrion ! Une chance incroyable, non ! ?

– Tu sais, je ne pense pas trop à ça…, mentit le tonnelier qui n'avait que cette idée dans la tête. Moi, ce que je désire, c'est le bonheur d'Hermine ! Si elle le trouve avec un prince, tant mieux !

– Tu es un homme sage, mon ami tonnelier !

– Je sais, oui… je sais…

Ragaillardi par la boisson au miel, Amos accepta une dernière danse, mais il en fit plutôt trois qu'un autre verre d'hydromel vint arroser à la fin. Puis ce fut au tour du banquet d'être servi et l'odeur de la viande braisée persuada Amos d'étirer encore un peu son temps auprès d'Hermine. Aussi belle qu'intelligente, cette fille avait un humour subtil et fin, ce qui lui plaisait beaucoup. Rapidement, Amos oublia sa résolution de rentrer tôt et continua à faire la fête en compagnie de sa nouvelle amie. Après tout, la musique était rythmée à souhait ; le banquet, goûteux et généreux ; l'hydromel, enivrant ; et Hermine, purement délicieuse. Une soirée parfaite pour un prince !

– Je déteste ce type !, fit l'un des fils du charpentier Obertiz de Myon à son ami.

– Mais de qui parles-tu ?, lui demanda-t-il en buvant une grande rasade de bière. Tu parles du prince ?

– Oui, regarde ce petit prétentieux qui vient s'amuser ici !, grogna l'apprenti charpentier. Il n'a pas assez de ses fêtes au château avec ses petits copains de la noblesse ? Non, en plus, il faut qu'il vienne nous rappeler qu'il est le prince et qu'il a tous les droits !

– Moi, je trouve ça plutôt sympathique qu'il soit avec nous.

– De plus, il danse avec nos filles, les vraies filles du peuple !, ajouta-t-il. C'est navrant. Il y a des princesses plein le monde, il pourrait bien s'en choisir une au lieu de voler nos honnêtes travailleuses !

– Dis-moi, s'interrogea son ami, l'année passée, ce n'était pas toi le cavalier d'Hermine pour cette fête ? Je crois même que tu as essayé de la revoir ensuite, mais qu'elle t'a clairement signifié que tu avais les mains un peu trop longues. Tu es jaloux !

– AH ! Ferme-la, ivrogne !, se fâcha l'apprenti charpentier. Moi, je ne peux voir ça, je m'en vais !

– Ouais, moi aussi, il est tard et je travaille demain…

Lorsque les feux de la fête s'éteignirent enfin et que les musiciens déposèrent leurs instruments, Hermine proposa à Amos de faire une petite promenade à l'extérieur de l'enceinte des murs de la ville. L'air était frais, la lune bien ronde et les étoiles méritaient qu'on s'y attarde. Ravi par l'excellente soirée qu'il venait de vivre, Amos accepta l'invitation avec plaisir. Sans avoir abusé de l'hydromel, il se dit qu'une petite balade lui ferait grand bien afin de faire s'évaporer les dernières vapeurs de cet alcool au goût divin.

– Je t'ai fait oublier les affaires de l'État ?, demanda Hermine qui maintenant tutoyait le prince. Toi qui désirais partir après les premières danses, j'en déduis que ta soirée fut un succès ?

– Il y a longtemps que je ne me suis pas autant amusé, répondit Amos enchanté. Surtout grâce à toi ! Je n'ai jamais autant dansé de ma vie ! Heureusement que tu étais à mes côtés pour m'enseigner. Tu as le rythme dans le sang et dans les jambes ! D'ailleurs, parlant de jambes, je ne sens plus mes chevilles !

– Ne me dis pas qu'un héros comme toi, qui as combattu des monstres énormes et des armées entières d'ennemis, n'a pas plus d'endurance qu'une jeune fille ! ?, s'amusa Hermine. Moi, mes jambes sont en parfait état ! Tellement que je recommencerais demain !

– Ah non !, fit Amos. Pas moi… Non pas que ce ne fût pas agréable, mais mes pauvres genoux ne pourraient pas le supporter ! Et je n'ai jamais combattu d'ennemi qui ait plus de souffle que toi !

– Dans ce cas, tu veux t'asseoir un peu ?, proposa Hermine. Question de reposer tes vieilles jambes de héros fatigué ? Je vois un tronc d'arbre déraciné qui pourra nous servir de banc de fortune, là-bas, à la lisière de la forêt. Tu viens ?

– Je ne dis pas non…, répondit Amos encore étourdi par le brouhaha de la fête.

Amos et Hermine prirent place et observèrent en silence la lune. Après un long moment, la jeune fille s'approcha du prince et saisit tendrement sa main.

– Une soirée parfaite, Amos, mérite une parfaite conclusion, lui dit-elle en déposant ses lèvres sur les siennes.

Amos, d'abord étonné, se contracta, mais il accepta finalement le baiser sans rechigner. Enivré par la douceur du moment, il enveloppa Hermine de ses bras et pressa son corps un peu plus contre le sien. Quoiqu'il fût prince en titre de Berrion, sans ses masques de pouvoir, Amos était redevenu un simple garçon comme les autres. Il ne contrôlait plus les éléments et ne semblait plus avoir de prise sur sa propre vie non plus. Son guide Sartigan était mort et Lolya, sa copine, disparaissait lentement au profit d'Aylol. Il ne restait plus à Amos que ce baiser rempli de tendresse et les fièvres euphorisantes d'une fête joyeuse.

– Tu es si belle, Hermine…, lui chuchota Amos à l'oreille. Je ne devrais pas dire cela, mais je pense à ce baiser depuis le début la soirée.

– Sans doute parce que tu es mon prince, répondit-elle, transportée par cet aveu. Et moi, j'y pense depuis notre rencontre à la fontaine.

– Tu sais, je… je ne devrais pas…, mais c'est plus fort que moi.

– Tu ne devrais pas quoi ?, s'étonna Hermine. Tomber amoureux d'une gentille jeune fille du peuple de Berrion ? Moi, si j'étais toi, je n'hésiterais pas !

Concluant sa phrase, Hermine récidiva en l'embrassant passionnément. Pendant de longues minutes, Amos se laissa porter par cette vague d'affection. Le prince planait autour de la lune et parmi les étoiles. Il vivait un moment parfait, rempli de délicatesse et de volupté. Dans les bras d'Hermine, il avait oublié son passé et ne se souciait pas de l'avenir. Seul comptait le présent maintenant, cet instant de bonheur et de libération qui n'en finissait plus de durer. Hors du temps, Amos avait un pied dans l'infini.

L'éternité de ce baiser fusionnel fut cependant écourtée par un goût bizarre dans la bouche d'Amos. Une saveur acre comme le sang le ramena sur terre et lui fit ouvrir les yeux.

– Tout va bien, Hermine ?, demanda doucement Amos en se détachant un peu de sa nouvelle flamme.

Mais la belle Hermine ne répondit pas à son cavalier. Les yeux révulsés et la bouche ensanglantée, la pauvre fille était morte dans ses bras. À travers son abdomen qui saignait abondamment, on pouvait apercevoir le bout d'une gigantesque queue de scorpion.

Par réflexe, Amos bondit sur ses pieds et aperçut, derrière le corps d'Hermine, l'horrible faciès de Léviathan, un des démons chargés de le capturer pour le ramener aux enfers.

– Elle est morte d'amour pour toi…, persifla Léviathan. Tu peux me remercier, car si je ne l'avais pas arrêtée, elle t'aurait mangé tout cru, cette petite cajoleuse !

Sa phrase terminée, le démon retira sa queue du corps de la jeune fille. Amos vit Hermine tomber lourdement au sol. Horrifié, le prince de Berrion baissa la tête et versa quelques larmes.

– Encore une fois, tout est ma faute... J'ai causé la mort de cette magnifique fille..., pensa-t-il. Si je n'avais pas suivi mes inclinations au lieu de faire mon devoir envers Lolya, mes amis et mon ancien maître, Hermine aurait peut-être été déçue de moi, mais elle serait toujours vivante. Je suis responsable de cette mort... J'en suis responsable devant sa famille, ses amis et tous ceux qui l'aimaient. Son unique tort fut de se trouver avec moi au mauvais endroit, au mauvais moment...

– Bravo !, s'amusa Léviathan. C'était un beau brin de fille ! Je crois bien que vous auriez eu un bel venir ensemble ! Dommage, la pauvre ne savait pas qu'elle embrassait un condamné à perpétuité ! Content de me revoir, mon petit Amos ?

D'un coup, Amos fut submergé par une rage de vengeance qui lui fit oublier que Léviathan ne se déplaçait jamais sans son bien-aimé Béhémoth. Il bondit vers elle, mais n'eut pas le bonheur de la toucher. Un coup de bâton aussi puissant qu'un coup de sabot d'étalon récalcitrant le propulsa à une dizaine d'enjambées plus loin. Béhémoth veillait sur sa terrible épouse.

– Quel coup, mon amour !, s'exclama Léviathan. Tu frappes comme un expert !

– Merci, douce merveille du monde !, répondit Béhémoth. Je me proposais d'ailleurs de recommencer, tu veux que je t'enseigne ?

– Mais oui, beau guerrier, j'ai tellement à apprendre de toi !

– Dans ce cas, allons-y, mon canari…

Amos, qui gisait au sol en se tordant de douleur, vit les deux démons s'approcher de lui. Il tenta de s'enfuir, mais ce fut peine perdue. Léviathan l'attrapa par les cheveux et le força à se remettre debout.

– Regarde, ma belle Léviathan, il y a plusieurs coups et bon nombre de techniques lors d'un combat au bâton ! Première leçon, le coup au ventre ! Une méthode infaillible pour couper le souffle à un ennemi, regarde !

Béhémoth s'élança et frappa Amos dans l'abdomen. Le prince de Berrion cracha du sang et tomba à genoux. Incapable de respirer, il s'écroula face contre terre en gémissant. Aussitôt, Léviathan le releva, toujours en l'agrippant par les cheveux.

– Intéressant, ma brute d'amour !, gloussa-t-elle. Est-ce tout ?

– Non, douce moitié, il y a le coup du lapin ! Derrière la tête !

Le démon s'exécuta et Amos fit un tour et demi dans les airs avant de mordre la poussière.

– Oups !, lança Béhémoth, je crois que j'ai frappé un peu fort, non ?

– Toi, mon costaud, tu ne connais pas ta force ! Encore un peu et tu lui éclatais complètement la cervelle. Je te rappelle, ma grosse brute d'amour, que nous devons le ramener vivant dans les enfers... Nous ne sommes pas venus pour le tuer !

– Désolé... Je suis navré, ça m'a échappé !, s'excusa Béhémoth. Tu sais combien j'aime mon travail ! Je fais du zèle !

– Oui, je sais..., répondit Léviathan en caressant tendrement la joue de son mari. Heureusement, il est encore vivant... Surveille pour que je ne sois pas dérangée, j'exécute immédiatement le rituel.

– Excellent !, se réjouit Béhémoth. Ensuite, nous pourrons le battre comme bon nous semblera ! Vas-y, mon cœur, je m'occupe de ta protection.

Léviathan se pencha sur le corps en convulsion d'Amos et commença une étrange cérémonie démoniaque. Elle traça autour de lui quelques pentacles en utilisant le sang d'Hermine, puis entonna un chant de gorge strident à glacer le sang. Se servant de la magie des ombres et des ténèbres, elle enchanta le corps d'Amos afin que son âme ne puisse plus sortir de son corps, le privant ainsi de mourir. En lui accordant cette immortalité, elle pourrait ensuite le ramener aux enfers pour qu'il souffre dans la prison du Tartare pour l'éternité.

– Tous les matins, tu te réveilleras comme neuf, lui chuchota Léviathan à l'oreille, et ainsi tu pourras être torturé jour après jour jusqu'à épuisement. Tes bourreaux auront le loisir de te briser les os, de t'arracher les ongles ou bien de te peler vivant, sans que jamais tu ne meures ! N'est-ce pas merveilleux ? Tout comme les dieux que tu as répudiés, tu seras un immortel !

– Loin de moi le désir de te déranger, mon bel amour, mais les premiers rayons du soleil se lèveront bientôt… Maintenant que notre mission est terminée, je ne voudrais pas qu'on nous repère, tu comprends ?

– Oui, mon chéri, je termine rapidement le rituel. Pendant ce temps, efface nos traces…

– Tout de suite, ma tendre moitié…

Béhémoth s'exécuta rapidement et ne laissa que les empreintes d'Amos visibles. Il prit bien soin de ne pas toucher le corps d'Hermine et d'effacer toutes les preuves qui pourraient incriminer sa tendre épouse. Quelques instants après, Léviathan terminait son rituel et, grâce à sa magie, se faisait disparaître avec Béhémoth, le corps du porteur de masques chargé sur l'épaule du colosse.

## Chapitre 3

# La peine du tonnelier

Dès les premiers rayons du soleil, la garde réveilla le roi Junos afin de l'informer qu'un meurtre avait été commis à Berrion. Aussitôt, le souverain incrédule bondit dans ses vêtements et se rendit, accompagné de quelques soldats et de son ministre de la justice, sur les lieux du crime. À son arrivée, une foule de curieux était massée autour du corps de la jeune Hermine et commentait la scène.

– Faites place!, hurla un garde qui précédait Junos. Le roi est là! Faites place, c'est un ordre!

Tous les témoins s'écartèrent, sauf un homme, penché sur le corps de la victime, qui pleurait à chaudes larmes. Il s'agissait du tonnelier du quartier de la fosse aux étourneaux: Hermine était sa fille.

Devant le spectacle, Junos se pencha sur lui et déposa une main amicale sur son épaule.

– Je suis désolé pour votre fille..., murmura Junos, rempli de compassion. Je vous promets que nous trouverons le responsable et qu'il sera sévèrement puni. Nous mènerons une enquête serrée et...

– Ce ne sera pas nécessaire !, dit le tonnelier entre deux sanglots. Le coupable, c'est Amos Daragon ! Ma fille avait rendez-vous avec lui hier soir… Je les ai vus ensemble à la fête… Elle était si heureuse à l'idée de danser et de s'amuser avec le prince… et, moi, j'étais content pour elle ! Jamais je n'aurais cru qu'il la tuerait…

Junos sursauta.

– Mais Amos Daragon n'est pas un tueur !, s'indigna le roi. Les héros ne deviennent pas du jour au lendemain des assassins de jeunes filles sans défense ! Malgré le respect que je vous dois, je crois que votre hypothèse est plutôt farfelue !

– Farfelue ! ? Il n'y a pas de traces d'un autre meurtrier ! Uniquement celles du prince et de ma fille ! Entre vous et moi, si un tueur avait décidé de s'en prendre à mon Hermine, je crois bien que son nouveau cavalier, Amos Daragon, le plus puissant magicien du monde, l'aurait protégée, non ? ! Alors, ça ne peut qu'être lui… Le prince a assassiné ma fille !

Le souverain de Berrion s'ébroua avant de pousser un soupir d'incompréhension. Mais que s'était-il passé durant la nuit ? Amos n'avait certainement pas tué cette fille et, galant comme il est, il ne l'aurait pas non plus laissée toute seule à l'extérieur des murs de l'enceinte. Cette accusation était une absurdité, mais encore fallait-il le prouver !

Pour s'assurer des affirmations du tonnelier, Junos fit lui-même le tour de la scène du crime et constata qu'il n'y avait, effectivement, aucun indice pouvant laisser croire à la présence d'un assassin. Tout avait été soigneusement disposé afin que les lieux ne laissent entrevoir que des preuves incriminant Amos. Il y avait même une arme, un grand couteau de chasse, tachée du sang d'Hermine tout près du corps de la jeune victime.

– Je les ai vus ensemble hier soir à la fête!, lança une femme parmi les curieux. Ils avaient l'air très amoureux… Je suis certaine qu'ils sont venus ici pour se bécoter, mais que les choses ont mal tourné!

– Moi aussi, j'étais à la fête!, fit un homme indigné dont l'imagination s'était enflammée. Et je peux dire que le prince a abusé de l'hydromel! Lorsqu'ils ont quitté les lieux, il était chancelant et s'agrippait à la petite pour ne pas perdre l'équilibre. Je crois même qu'il était complètement bourré!

– Et il a voulu abuser de ma fille!!!, s'exclama le tonnelier, fou de rage. Comme je l'ai bien élevée et qu'elle n'a pas voulu céder à ses avances, eh bien, il l'a tuée!!! Oh, ma fille, ma pauvre fille! Tu seras morte dans l'honneur!

– On sait comment sont les princes avec les gens du peuple, cria l'apprenti charpentier jaloux de la veille. Ce n'est pas la première fois qu'on entend des horreurs de ce genre! Moi, je connaissais bien Hermine et j'ai vu qu'elle était très inconfortable en compagnie du prince! Toute la soirée, il a essayé de la toucher à des endroits… inopportuns. C'était dégradant pour elle!

La foule commença à grogner. L'imagination aidant, on prétendait qu'Amos lui avait fait des avances grossières et que, toute la soirée, il semblait mal intentionné envers Hermine.

– Trois fois, la petite lui a demandé de partir pour aller s'occuper des affaires du royaume, mais il est resté collé à elle comme une sangsue !, lança un homme qui faisait office de serveur à la fête, mais qui n'avait pas encore dégrisé. Moi, je dis qu'Amos Daragon avait un plan derrière la tête !

– En plus, Amos a déjà une copine qui est enfermée dans le cachot !, fit valoir un autre spectateur. Il fait enfermer les filles dont il est harassé et s'attaque sauvagement à celles qui ne veulent pas se plier à sa volonté ! C'est l'attitude d'un tyran !

– Mais voyons, bande d'imbéciles !, cria Junos hors de lui. On parle d'Amos Daragon ! Celui qui a sauvé Berrion du joug de Barthélémy ! Celui qui a couvert de bienfaits cette ville et qui, encore, avec la création du Sanctuaire des Braves, participe à l'économie et au bonheur des habitants ! Vous rendez-vous compte des horreurs et des calomnies que vous répandez ? Vous mériteriez trois jours de cachot pour vous remettre les idées en place !

– Le roi Junos protège son fils adoptif !, cria quelqu'un bien caché dans la foule. C'est bien connu, les puissants se protègent entre eux ! Nous réclamons justice ! JUSTICE POUR LE PEUPLE !

– JE VAIS VOUS EN FAIRE DE LA JUSTICE, MOI !, hurla Junos, rouge de colère. GARDES ! ÉVACUEZ-MOI CES IDIOTS !

Exaspéré par ces ragots, Junos fit expulser tout le monde de la scène du crime, mais le mal était fait. La rumeur populaire allait s'emparer de l'histoire et accuser sans preuve Amos Daragon, prince de Berrion et grand magicien, d'un meurtre sordide. Il n'en fallait pas plus aux habitants pour salir le héros qui les avait maintes fois sauvés d'importants périls.

Après tout, Amos était beau, riche et puissant, ce qui le rendait suspect auprès d'une certaine classe de la population. À Berrion, Junos avait réussi l'exploit de faire disparaître la pauvreté matérielle, car tous les habitants possédaient un toit et mangeaient chaque jour à leur faim. Cependant, la pauvreté intellectuelle demeurait un défi de taille. Peu instruite et très influençable du fait de son manque de curiosité, il y avait à Berrion une couche de la population qui préférait répéter comme des perroquets les ragots du jour plutôt que se questionner sur les paroles qu'elle prononçait. Ces gens avides de sensations fortes ne vivaient que par les actions des autres, plus particulièrement celles de la noblesse. Envieux et hypocrites, ils entretenaient le mythe que les riches du royaume étaient tous des voleurs, enseignaient à leurs enfants que la lecture était une activité de paresseux, évitaient de partager leur temps lors des corvées populaires, mais n'hésitaient jamais à se présenter aux banquets et aux fêtes publiques pour se remplir l'estomac. Pour eux, Amos était coupable du meurtre d'Hermine. Leur version était simple : le prince, qui pouvait tout avoir dans la vie, n'avait pas supporté qu'Hermine repousse ses avances et refuse de se donner à lui. Contrarié, il avait tenté de la violer, mais comme elle résistait toujours, il s'était vengé en l'assassinant et avait quitté les lieux en s'envolant comme un oiseau. Tous les habitants l'avaient déjà vu voler et savaient qu'il était capable d'autres grands prodiges ! L'affaire était réglée !

– Ce n'est pas Amos qui a tué votre fille, c'est tout à fait ridicule !, répéta Junos au tonnelier. Combien de fois vais-je devoir vous le répéter ! C'est impossible !

– Alors, où est le prince dans ce cas ?, argumenta le tonnelier. Si ce n'est pas lui le meurtrier, pourquoi n'est-il pas ici pour se défendre et donner sa version des faits ? Bien moi, je sais ! Amos Daragon est au château en train de cuver son hydromel et il dort à poings fermés ! C'est un lâche, un violeur et un assassin, voilà !

– Bonne idée !, lança Junos en se tournant vers ses gardes. Allez tout de suite me chercher Amos que l'on tire cette histoire au clair !

Sans plus attendre, les gardes se lancèrent en quête du prince, mais ils revinrent bredouilles au bout d'un moment.

– Nous avons fait le tour de la ville…, dit l'un des gardes. Le prince demeure introuvable… Il n'est pas dans ses appartements et personne ne semble l'avoir vu depuis la fête d'hier.

– Voilà ce que je vous disais, fit le tonnelier effondré sur le corps de sa fille. C'est lui, ma belle Hermine…, nous savons maintenant qui est ton assassin. Je jure de te venger ma fille… Je le jure sur l'âme de ta défunte mère… Je le jure sur ma propre vie. Nous retrouverons ce malfrat et nous lui ferons un procès… Il paiera pour son arrogance… Junos n'arrivera pas à le protéger, car tout Berrion sera avec nous, ma douce, ma belle Hermine.

– Je compatis avec la douleur que vous ressentez, mais cela ne prouve rien du tout !, insista Junos. Même que c'est… c'est plus inquiétant que je ne le croyais. S'il était avec Hermine hier soir et que nous la retrouvons aujourd'hui sans vie, c'est qu'il est arrivé quelque chose de grave à Amos. Tel que je le connais, il aurait sacrifié sa propre vie pour lui venir en aide… Ce doit être ces deux démons qui le cherchaient, Béhémoth et Léviathan…

– Vous…, les riches et les puissants, vous êtes tous semblables !, railla le tonnelier. Des vautours qui mangent sur le dos du peuple et qui se protègent entre eux ! Vous n'excuserez pas le geste d'Amos en le camouflant par la présence de démons imaginaires !

– Bon, cela suffit !, grogna Junos. Je comprends que le chagrin vous égare et je ne ferai pas de cas de vos dernières paroles. Je vais ordonner que l'on déplace votre fille à la maison des guérisseurs afin que l'on puisse découvrir des indices sur sa mort. Vous pourrez accompagner sa dépouille et assister à l'enquête…

Le tonnelier hocha la tête en signe d'acquiescement.

Junos commanda aussi l'envoi d'une missive à Béorf et Médousa, puis se rendit directement à la bibliothèque pour se replonger dans l'histoire de Béhémoth et de Léviathan.

## Chapitre 4

# Le sort d'Amos

Estomaqués par la nouvelle dont ils venaient d'être informés, Béorf et Médousa rejoignirent Junos, Frilla et quelques hauts dirigeants de Berrion dans une grande salle de la bibliothèque du château. La gorgone et le béorite furent accueillis par la mine déconfite d'une assemblée silencieuse. Sur la table, une affiche avait été déposée. Sur la feuille destinée à être placardée dans des lieux publics par Béhémoth et Léviathan était apparu en rouge le mot: *capturé*.

– C'est une affiche qui vient des enfers et dont le message s'adapte de lui-même, expliqua le bibliothécaire à Béorf et Médousa. Au petit matin, alors que je faisais quelques expérimentations sur cet étrange papier, le mot *capturé* est soudainement apparu. Nous avons vérifié et cela correspond à l'heure de la mort de la jeune Hermine.

– Ils l'ont eu…, fit Béorf dans un profond soupir. Et maintenant, ces deux démons vont l'amener dans la prison du Tartare et tout sera terminé pour lui. Nous ne reverrons plus jamais notre ami.

L'assemblée demeura silencieuse. Le béorite avait raison et tout semblait indiquer qu'Amos faisait maintenant cavalier seul et que personne ne pouvait plus lui venir en aide. Autour de la table, personne n'avait assez d'habileté pour affronter un démon, encore moins un couple de démons.

– Les monstres qui ont capturé Amos ont probablement aussi tué Hermine..., expliqua Junos. Et maintenant, je dois apprendre au peuple qu'Amos n'est pas là pour se défendre parce qu'il a été enlevé par des démons ! Entre vous et moi, je vais me faire lancer des pavés si je leur envoie directement la vérité !

– Amos était avec une fille ?, s'informa Médousa.

– Oui, il a passé la soirée à une fête de quartier avant que l'on retrouve le corps de sa cavalière ce matin, à l'orée de la forêt !

– C'est elle que vous appelez Hermine, c'est ça ?

– Oui, répondit Béorf. C'était la fille du tonnelier de la basse ville.

– Intéressant !, se contenta-t-elle de dire en serrant les dents.

Encore une fois, un lourd silence retomba sur l'assemblée.

– On intervient ou pas ? !, s'impatienta Junos. Je sais bien que les histoires de démons sortis des enfers ne sont pas chose courante à Berrion, mais il faut prendre une décision ! Soit on organise quelque chose, soit on laisse Amos régler ses problèmes comme un grand garçon.

– Sans ses masques de pouvoirs, dit Béorf, il ne pourra pas se défendre contre ces créatures.

Amos a besoin de sa magie ! Présentement, il est aussi faible qu'une souris entre les pattes de deux puissants chats. Si nous restons sans rien faire, nous le condamnons nous aussi.

– À moins que…, hésita Médousa de peur d'être jugée. Non, je m'excuse, ce n'est pas une bonne idée.

– Vas-y, parle, ma chère amie !, l'encouragea Junos. Il faut trouver une solution pour soutirer Amos des griffes de ces monstres ! Toutes les idées sont bonnes et il semble bien que personne ici n'ait quelque chose à nous offrir !

Médousa réfléchit quelques instants avant de dire :

– Bien… alors, je me lance ! Il y a deux portes connues dans notre monde pour rejoindre les enfers. Celle ouverte par Lolya sur l'île d'Izanbred, dans l'abbaye de Portbo, et une autre qui se trouverait apparemment au sud du pays des minotaures. Comme la première est protégée par un grand démon ami d'Amos, je crois bien que Béhémoth et Léviathan n'oseront jamais l'emprunter.

Junos bondit de sa chaise et hurla :

– C'est ça ! Bravo ! Il faut trouver rapidement la porte des enfers et installer une armée devant ! Ainsi nous leur barrerons la route ! Bravo, jeune gorgone, tu as du génie !

– Je propose de partir en éclaireur avec Maelström, continua Médousa. Pendant ce temps, vous réquisitionnerez les flagolfières dédiées à la construction du Sanctuaire des Braves. Elles vous serviront de transport des troupes !

– Excellent!, fit Béorf. Il y a déjà un bon nombre de béorites qui travaillent à la construction du Sanctuaire des Braves, aucun ne refusera la chance de participer à une bonne bataille.

– Il me reste quelques bons chevaliers à Berrion, mais la plupart de mes hommes sont en mission à travers le royaume des Quinze!, fit Junos en se grattant la barbe.

– Demande de l'aide à Gwenfadrille du bois de Tarkasis, proposa Frilla, la mère d'Amos. Elle te viendra en aide, j'en suis certaine. Et puis lance un appel aux braves de Bratel-la-Grande. Plusieurs aventuriers te sont très fidèles là-bas. Eux aussi répondront.

Tous les ministres et hauts dirigeants du royaume applaudirent l'idée.

– Alors, allons-y!, fit Béorf en frappant un bon coup sur la table. Ils ne passeront pas la porte de l'enfer!

Ces derniers mots marquant la dissolution de l'assemblée, la gorgone en profita pour attirer Béorf dans un coin tranquille de la bibliothèque.

– Tu as eu une bonne idée, Médousa…, dit le béorite avant de se faire couper la parole.

– Tais-toi!, dit-elle avec un air contrarié. Tu étais au courant pour cette fille? Veux-tu me dire ce que faisait Amos avec la fille d'un tonnelier, tard dans la nuit, après une fête? Et ne me dis pas que tu n'étais pas au courant!!! Amos et toi n'avez pas de secret!

– Je n'étais au courant de rien, Médousa, je te le jure!, répondit franchement Béorf. La dernière fois que j'ai vu Amos, c'était au chantier du Sanctuaire des Braves et il était très déprimé. Il m'a confié avoir de la difficulté à vivre sans ses pouvoirs et il se sentait complètement démuni quant aux problèmes de Lolya.

– Et c'est pour cette raison qu'il est tombé dans les bras d'une autre ? Mais tu me prends pour une cruche, mon cher Béorf !

– Je ne tente pas de défendre Amos, Médousa ! Je t'explique simplement les circonstances de notre dernière rencontre !

– Et tu crois que je vais gober ça ? !

– Gober quoi ? !

– Que tu n'étais pas au courant pour Hermine et leur petite fête !, se fâcha la gorgone. Moi, ma meilleure copine est devenue complètement folle et se trouve enfermée dans un cachot alors que, pendant ce temps, au lieu d'essayer de lui venir en aide, monsieur Amos Daragon décide de faire bombance et de s'amuser ! Tu trouves ça normal, toi ?

– Mais non ! Je ne trouve pas ça normal !

– Alors pourquoi n'es-tu pas dégoûté autant que je le suis ! ?, s'emporta-t-elle. C'est sans doute parce que tu étais au courant et que tu tentes de protéger ton ami ! Vous, les garçons, vous êtes de sacrés menteurs parfois ! Surtout lorsqu'il s'agit de filles que vous trouvez jolies !

– Mais Médousa…, je te jure que…

– Toi ! Écoute-moi bien !, dit fermement la gorgone. Si un jour tu me fais un coup comme celui-là, je jure que ta nouvelle petite copine, eh bien, je la transforme en pierre! Tu crois que tu peux être heureux sans moi, mon petit père? C'est ce que nous allons voir!

– Mais je...

– OH OUI!, éclata Médousa. Vous êtes bien tous semblables! Dès qu'une jolie blonde se présente dans une robe un peu légère, vous perdez le contrôle et devenez aussi bêtes que des ânes!

– Elle était rousse...

– QUOI?

– Hermine était rousse!, précisa Béorf. Pas blonde.

Médousa gifla Béorf.

– Tu vois bien que tu la connaissais!, fit-elle dans une colère noire.

– Mais oui, mais je la connaissais... comme ça, pas parce qu'Amos m'en avait parlé... Tu vois, je... bon, je t'explique, un jour je suis allé chez son père pour faire réparer un des tonneaux de vin de la cuisine et..., eh bien, j'ai parlé un peu avec Hermine...

La gorgone le gifla de nouveau.

– Vous êtes tous identiques!, lança-t-elle avant de tourner les talons. Tous des menteurs!

– Mais... Médousa, je n'ai rien fait!, protesta Béorf.

– C'est ça, oui! Et bonne chance avec tes petites copines rousses!

– MAIS JE N'AI PAS DE PETITES COPINES ROUSSES!!!, hurla le béorite. C'EST TOI, MA COPINE! MOI, J'AIME LES FILLES VERTES AVEC DES SERPENTS SUR LA TÊTE!

Trop tard, Médousa était sortie de la bibliothèque en claquant la porte.

– Je n’arriverai jamais à comprendre les filles, se dit Béorf en se laissant choir sur un banc. Avec elles, tout devient si compliqué parfois… pfft !

La gorgone hargneuse se rendit à la cour du château où Maelström, lui aussi au courant des événements, attendait la décision du conseil.

– Alors petite sœur ?, demanda-t-il inquiet.

– La porte de l’enfer, au sud du territoire des hommes-taureaux, ça te dit quelque chose ?

– J’ai rarement survolé cet endroit…

– Alors, si tu le veux bien, on y va ! On va tenter de sauver le traître qui joue dans le dos de Lolya !

– Je ne comprends pas…

– Je t’expliquerai en route, d’accord ?

Le dragon acquiesça et emporta la gorgone avec lui.

Deux coups d’ailes et ils étaient déjà loin…

***

Une forte odeur de thé réveilla Amos.

Il ouvrit les yeux et reconnut la cabane de Sartigan, celle qu’il habitait dans la forêt au sud d’Upsgran.

Amos se leva et, tout en se demandant ce qu’il pouvait bien faire à cet endroit, il vit Sartigan entrer dans la pièce et s’installer pour servir le thé. Devant le maître, deux bols.

– Je t’ai appris à te battre, à bien utiliser les armes, aussi à comprendre un adversaire et à anticiper ses coups. Grâce à moi, tu sais maintenant comment maîtriser tes émotions, mais jamais je ne t'ai appris à boire convenablement le thé. Ce sera la leçon d'aujourd'hui...

– Maître, répondit Amos. Je sais comment boire le thé, vous me l'avez déjà enseigné.

Comme s'il n'avait rien entendu, Sartigan commença ses interminables explications sur l'importance de la température de l'eau et la justesse de l'infusion. Plusieurs fois, Amos essaya d'intervenir, mais le maître faisait la sourde oreille et ne l'écoutait pas.

– Mais je sais tout cela, Maître... Et chaque fois que je bois le thé, j'applique à la lettre votre technique. Pourquoi faites-vous mine de ne pas m'écouter ? C'est un peu agaçant à la fin !

– Parce que je suis mort, idiot, et que cette scène n'est qu'un souvenir..., lui répondit finalement Sartigan. La tasse de thé n'est pas intéressante, c'est le processus qui mène à la tasse de thé qui est intéressant. Tu m'écoutes ?

Étonné, Amos décida de se taire et d'écouter son maître. Qu'importe si la scène était un souvenir ou si elle existait réellement, l'important, c'était le message qui allait être livré.

– Bon !, soupira Sartigan. Je vois que tu es moins bête que tu en as l'air ! Le temps du Tao pour toi est venu. Avec lui, ce qui est incomplet devient entier, ce qui est courbé devient droit, ce qui est creux devient plein !

– Je ne comprends rien, Maître Sartigan, il me faudrait plus d'explications...

– Si tu cesses de lutter, personne ne pourra te vaincre, ajouta Sartigan. Celui qui connaît les hommes est prudent, celui qui se connaît lui-même est éclairé. Celui qui dompte les hommes est puissant, celui qui se dompte lui-même est fort.

Sartigan se tut, versa le thé et regarda Amos en souriant.

– C'est bon de te revoir..., dit-il avant de s'évanouir dans l'air.

Malgré l'étrange apparition et les paraboles incompréhensibles, Amos prit le temps de boire calmement son thé. Tout en se demandant ce qu'il pouvait bien faire dans la cabane de son maître, il entendit du bruit derrière le mur. Lentement, il se leva, puis posa l'oreille sur le bois. Il reconnut deux voix, celle de Béhémoth et de Léviathan.

– Pour faciliter notre route, mon bel amour, je nous lancerai un sort de marche rapide demain, disait Léviathan. Nous irons deux fois plus rapidement qu'à cheval !

– C'est une excellente idée, car j'ai bien hâte de revenir à la Cité infernale ! L'aventure, c'est bien, ma beauté, mais ça ne vaut pas le confort de notre maison.

C'est à ce moment qu'Amos comprit que la cabane était en fait sa tête et les murs, les parois de son crâne. Prisonnier de son propre corps, il ne pouvait ni se réveiller, ni bouger. D'ailleurs, il ne pouvait même plus respirer. Son âme demeurait en lui et ne pouvait plus s'échapper.

– Voilà exactement comment Lolya doit se sentir, pensa-t-il. Prisonnière de son propre corps !

– Et qu'est-ce qu'on fait de lui ?, demanda Béhémoth. Je crois qu'il est mort. Plus tôt, je lui ai brisé le cou afin qu'il arrête de bouger !

– Grâce à ma magie, il se réveillera demain en parfaite santé…, répondit Léviathan. Tu n'auras qu'à l'étrangler au petit matin afin qu'il nous fiche la paix durant la journée.

## Chapitre 5

# L'appel aux braves

Le crieur public s'avança au centre de la place du marché de Bratel-la-Grande et joua quelques notes de trompette afin d'attirer l'attention. Rapidement, un attroupement de curieux se massa autour de lui.

– Junos, notre bon roi du royaume des Quinze, est à la recherche d'audacieux afin d'entreprendre un voyage hasardeux dont l'issue est incertaine. Ceux ou celles que l'aventure intéresse, rapportez-vous dans deux jours au château de Berrion. C'est à ce moment que vous seront expliqués les tenants et aboutissants de cette mission. Une généreuse bourse est prévue pour chaque aventurier.

La plupart des spectateurs haussèrent les épaules en signe de désintérêt. Si Junos pensait les attirer avec un message contenant si peu de détails et aucune mention claire du salaire accordé, eh bien, il se trompait. Une généreuse bourse, oui, mais contenant uniquement des piécettes de cuivre ? Non merci ! D'autant que les rumeurs d'un meurtre sordide commis par Amos Daragon, le prince et héritier du trône, planaient sur tout le royaume. Dans un tel cas, il valait sans doute se tenir loin du souverain, de ses demandes et de son fief de chevaliers.

Tous les curieux de la place quittèrent rapidement les lieux, sauf un. Debout dans ses hautes bottes de cuir et bien enveloppé d'un long manteau robuste de toile, Mordoc de Mordonnie retira son tricorne et nota dans le fond de son chapeau la date et l'endroit du rendez-vous proposés par Junos. Il reposa son chapeau sur sa tête, caressa de sa main droite les trois pommeaux de ses dagues et celui de la longue épée qu'il portait à la ceinture, puis sourit de toutes ses dents en laissant paraître une canine en or à l'effigie d'un crâne humain.

– Voilà une affaire nouvelle et... intéressante, pensa-t-il. Je vais aller en informer mes compagnons.

Mordoc de Mordonnie se dirigea vers la basse ville de Bratel-la-Grande. Bifurquant dans une ruelle, pour éviter une patrouille de chevaliers, il se rendit d'un pas rapide à la porte arrière de la boutique d'un marchand de vin bien connu du quartier. Comme à son habitude, il y frappa trois coups, ce qui provoqua l'ouverture immédiate du judas.

– Oui ? Qui est là et que me voulez-vous ?, dit une voix d'un ton bourru.

– Je donne une fête ce soir et j'aimerais un tonneau de votre meilleur vin !

– Une fête en l'honneur de qui ?

– En l'honneur de M de M !

Le verrou se fit entendre.

– Entre, Mordoc de Mordonnie, l'invita le gardien en ouvrant la porte. Tu connais le chemin ?

– Oui, merci.

Mordoc de Mordonnie descendit un long escalier de bois et déboucha dans une salle faiblement éclairée où une trentaine d'hommes, tous plus hétéroclites les uns que les autres, le saluèrent à tour de rôle. Cette guilde de voleurs, de coupe-jarrets, de pirates et de brigands de grand chemin se nommait, tout simplement, les aventuriers de Bratel-la-Grande. Débrouillards, peu scrupuleux, mais surtout en quête de richesses et de trésors perdus, les membres de cette association étaient pour la plupart des mercenaires prêts à vendre leur mère pour vivre de grandes aventures. Provenant des milieux défavorisés des grandes villes du royaume des Quinze, ils avaient presque tous commencé leur carrière comme voleur à la tire avant de suivre des voies aussi différentes que l'assassinat ou la contrebande. Dans cette cave, où l'on fumait des cigares, jouait aux cartes et où la bière et le mauvais vin coulaient à flots, était rassemblée ce que les chevaliers appelaient la racaille du royaume. Et Mordoc de Mordonnie en était un membre très influent, la fine fleur des bas-fonds.

– J'arrive de la place du marché..., fit Mordoc en prenant place à une table. Junos demande de l'aide à Berrion !

Un lourd silence envahit soudainement la cave.

– Bof…, fit un type qui avait l'allure d'un pirate. Et puis ?

– Et puis rien !, enchaîna Mordoc. Mais je crois simplement que nous devrions aller lui donner un coup de main. Après tout, il est notre roi ! Et depuis qu'il règne, il n'y a plus de pendaisons dans le royaume. Nous qui pratiquions anciennement notre métier avec la peur de l'échafaud collée aux fesses, nous lui devons notre paix d'esprit.

Cette fois, un malaise traversa l'assistance des gibiers de potence. Mordoc était devenu fou, ou faisait-il une mauvaise blague ? Il avait pourtant la même allure que d'habitude et ne montrait pas de blessure sévère à la tête.

– Pour une fois, insista Mordoc, nous pourrions faire une bonne action ! Il serait temps de montrer que nous sommes des gens courtois et avenants ! N'avons-nous pas un minimum d'éducation ?

Subjugué, le groupe des aventuriers de Bratel-la-Grande ne savait pas quoi répondre à cette proposition.

– Bon, je sais que nous ne sommes pas les bienvenus à Berrion et que plusieurs d'entre vous y ont fait des jours, sinon des mois, de cachot, mais il s'agit peut-être d'une chance unique de rétablir notre réputation !, insista Mordoc.

On pouvait toujours entendre une mouche voler dans la cave.

– En fait, poursuivit-il, vous avez tous entendu la rumeur d'assassinat d'une jeune fille dont le meurtrier ne serait nul autre que le prince Amos Daragon ? Mon petit doigt me dit que Junos est démuni devant les événements et qu'il ne sait pas régler cette situation. Entre nous, cette salle est remplie d'experts dans le domaine du crime et il serait dommage de laisser passer la chance de faire valoir nos talents ! Non ?

Le silence fut coupé par un unique raclement de gorge, puis quelqu'un d'autre toussota. Rien de plus. Mordoc avait définitivement plombé l'ambiance.

– Je sens qu'il y a un paquet d'argent à faire dans cette histoire, continua Mordoc, et, pour une fois, nous pourrions travailler dans la légalité, à visage découvert !

Puis, enfin, quelques paroles volèrent au-dessus de l'assistance.

– Pour ma part, dit une voix dans le fond de la salle, Amos Daragon m'a sauvé la vie lors de l'invasion de Bratel-la-Grande par les gorgones. Sans lui, je serais encore une statue de pierre à la porte de l'auberge *La tête de bouc*. Moi, je vais t'accompagner, Mordoc, car j'ai une dette à payer envers le prince. Par contre, s'il s'agit d'une autre mission que celle d'aider Amos, je reviens tout de suite reprendre ma place au bar.

– C'est bien !, applaudit Mordoc. Voilà un homme reconnaissant dont le prince Daragon aura un agréable souvenir ! D'autres courageux ?

Tout le monde retint son souffle pour ne pas se faire remarquer, même les souris du bar cessèrent de bouger.

– Et moi, fit une petite voix féminine, j'offre un sac de pièces d'or à tous ceux qui voudront bien accompagner Mordoc à Berrion.

Une petite grissaunière de la hauteur d'un enfant de huit ans bondit sur une table et dévisagea l'assemblée. Ce personnage que tout le monde connaissait se nommait Annax Crisnax Gilnax. À la tête d'une armée de dangereux contrebandiers, elle œuvrait dans le commerce du trafic du sel. Aussi riche qu'une reine et plus respectée qu'un décret du roi, elle n'avait pas froid aux yeux et disposait d'un impressionnant réseau de contacts pour mener à bien ses affaires. Dans les milieux illicites, on la surnommait la Grise et son nom en faisait trembler plus d'un. À la tête d'une solide organisation de faux-sauniers depuis des années, elle s'était diversifiée dans le commerce des armes et dans les mines de fer.

– Moi aussi, je dois beaucoup à Amos Daragon et je n'ai pas l'intention de le laisser tomber. Si Junos propose de lui venir en aide, je double ma mise aux courageux qui partiront en campagne. Les autres, les lâches et les peureux, je garderai votre visage en mémoire et m'assurerai de ne jamais mener d'affaires avec vous. Me suis-je bien fait comprendre ? Alors… qui suivra Mordoc à Berrion ?

Dans un mouvement presque théâtral, tous les membres de l'assemblée levèrent aussitôt la main. Mordoc afficha un petit sourire de satisfaction.

– Allez me chercher quelques coffres d'or, lança Annax à un de ses gardes du corps, j'ai des pièces à distribuer !

***

Dans le bois de Tarkasis, la reine Gwenfadrille eut rapidement écho de la demande d'aide de Junos. Elle avait aussi entendu parler des horreurs qu'avait apparemment commises Amos Daragon, mais n'en croyait pas un mot. Elle connaissait trop bien Amos et le savait incapable d'un meurtre aussi sordide.

Gwenfadrille était toujours au courant de tout ce qui se passait sur les terres de Berrion, car le château et le bois de Tarkasis étaient reliés depuis peu par un portail féerique permettant une circulation entre les deux royaumes. Dans la cour du château avait été aménagée une petite forêt servant d'ambassade aux fées, alors que dans le bois de Tarkasis, un poste de garde des chevaliers voisinait le portail. Les nouvelles voyageaient donc rapidement entre les États.

– Il serait peut-être temps de révéler votre arme secrète, chère reine..., proposa une petite fée jaune attitrée à l'ambassade de Berrion.

– Gwenfadrille n'a pas de secret..., répondit la reine.

– Nous savons toutes que, depuis la Grande Guerre qui a menacé sérieusement notre habitat, continua la fée, vous avez pris des mesures extraordinaires pour former votre propre armée... C'est un secret de polichinelle, grande reine !

– Gwenfadrille n'a pas d'armée, insista la souveraine, je n'ai jamais eu d'armée et je ne crois pas en la violence. Il en va de nos règles les plus strictes.

– Alors pourquoi avez-vous demandé à certaines de vos fées, les plus discrètes, d'enlever des enfants humains de mauvaises familles incapables de s'en occuper ainsi que de vider les orphelinats du royaume en entier ?, insista la fée. Nous avions déjà la mauvaise habitude de ravir des enfants, mais depuis quelque temps, nous y allons de façon obsessionnelle, non ?

Gwenfadrille se ferma sur elle-même. Elle savait que la petite fée jaune avait raison et qu'elle préparait en secret une armée composée d'êtres humains destinés à protéger le bois de Tarkasis. Capturés au berceau, ces soldats grandissaient dans une réalité parallèle où le temps ne s'écoulait pas à la même vitesse.

– Est-ce vrai que les forestiers de Tarkasis, puisque c'est ainsi que vous les nommez, que vos fées ont capturés cette année, aux couches, auront bientôt vingt ans dans quelques jours ? Une année dans notre monde équivaudrait donc à vingt ans dans l'autre ? Je savais que nous, les fées, avions collectivement un pouvoir sur le temps, mais à ce point, je l'ignorais…

– Et que savez-vous d'autre ?, s'irrita Gwenfadrille. Il semble bien que mes projets secrets soient maintenant de nature publique.

– Je sais que ces jeunes guerriers sont d'extraordinaires archers et que vous avez partagé avec eux bon nombre de connaissances nouvelles normalement interdites aux êtres humains, répondit la fée. Je sais aussi que vous leur avez donné le pouvoir de communiquer avec la nature et de pratiquer la science des druides. On dit qu'ils sont nombreux, forts et courageux, et que leur bouclier en forme de feuille d'arbre cache un de vos cheveux afin d'accentuer leur aura de protection.

– Et si votre souveraine vous disait que tout cela est la vérité ?, fit Gwenfadrille. Deviendrait-elle à vos yeux une mauvaise reine ?

– Non, ma reine, au contraire !, répondit la fée. Tous les habitants du bois de Tarkasis attendent avec fébrilité le jour de la grande annonce. Nous sommes derrière vous, grande reine !

– Gwenfadrille pourrait dévoiler son armée, mais elle ne peut pas pour l'instant...

– Pourquoi donc ?, fit la fée jaune, intriguée.

Gwenfadrille soupira un bon coup et raconta que, depuis vingt ans, les forestiers de Tarkasis s'entraînaient sous la surveillance des fées pour devenir de valeureux archers. Ces êtres humains aux extraordinaires capacités connaissaient tous les secrets de la nature et pouvaient y vivre aussi bien que les elfes eux-mêmes. Au cours des ans, deux archers plus talentueux avaient émergé du groupe. Celui que l'on appelait Bois d'Orme était costaud et généreux, alors que son égal, If de Brise, était longiligne et rieur. Les deux jeunes archers avaient les mêmes talents de guerrier et possédaient la même influence positive sur les forestiers. Mais à un moment, il fallait les départager pour choisir un chef. Mastagane le Boueux, grand druide du bois de Tarkasis, était justement venu demander conseil à ce chef.

– Nous avons besoin d'un chef, mais les forestiers sont divisés entre ces deux guerriers !, s'était plaint Mastagane. En vérité, je ne sais pas qui choisir… Si je favorise l'un plutôt que l'autre, j'ai peur de diviser l'armée en deux… Vous comprenez, chère reine ?

– Nous avons bien de la chance d'avoir ces valeureux archers parmi nous et ce problème doit être réglé avec soin, répondit Gwenfadrille.

– Voilà la raison de ma présence ici… Autrement, je ne vous aurais pas dérangée.

– Alors propose-leur une confrontation, lui avait suggéré la reine. Celui d'entre les deux qui pourra transpercer une pomme à cent pas de distance deviendra le chef des forestiers de Tarkasis !

– J'ai déjà fait ce concours et les deux ont réussi !, avait répondu Mastagane découragé. Devant leur succès, j'ai augmenté le niveau de difficulté en proposant de remplacer la pomme par deux chandelles allumées. Celui qui réussirait à éteindre la flamme d'une flèche à cent pas deviendrait le chef ! Mais encore une fois, les deux y sont parvenus avec une déconcertante facilité. Je ne sais pas quoi faire et les relations entre les forestiers commencent à se dégrader… Une moitié souhaite que Bois d'Orme soit le chef, l'autre qu'If de Brise les commande ! Et moi, je suis entre les deux, incapable de les départager ! C'est une situation intenable qui risque de compromettre tous nos efforts ! En fait, nous nous dirigeons vers un échec lamentable.

Gwenfadrille se tut et regarda sévèrement la fée jaune.

– Voilà où en est la reine avec son armée…, grommela Gwenfadrille. Nous ne sommes pas un peuple guerrier et sans expérience, il nous est impossible de dénouer cette impasse. Mastagane le Boueux perd lentement le contrôle des troupes… Nous assistons passivement à l'anéantissement de notre travail. Même s'ils ont été formés par des fées et des druides, les êtres humains demeurent les mêmes et ils ne peuvent pas vivre sans chef !

– Je crois pouvoir vous aider, grande reine !, dit la fée jaune avec assurance. Comment se rend-on chez les forestiers de Tarkasis ?

– Gwenfadrille les a cachés dans l'Éther, répondit-elle, ils sont ici avec nous, dans le même bois, mais ils vivent sur un plan d'existence où le temps est accéléré. Prends cette bague, elle t'y conduira directement. Tu n'auras qu'à la tourner deux fois dans ton doigt ou… comme tu es toute petite, à ta ceinture.

La petite fée empoigna la bague à deux mains et la chargea sur son épaule.

– Mais quel est ton plan ?, demanda curieusement la reine.

– Pour trouver un chef, répondit la fée jaune, il faut l'avis d'un véritable chef !

Puis la petite fée disparut dans le portail menant à Berrion.

***

Alior aux Dents rouges, ancien chevalier de Berrion retraité, dégustait une chope de bière noire en regardant la mer. Bien installé sur la plage dans une chaise de bois de sa fabrication, il admirait les flots en attendant patiemment le coucher de soleil.

– Il fera beau ce soir, n'est-ce pas ?, dit-il en gardant les yeux sur l'horizon.

Autour de lui, personne pour répondre à sa question.

Sa maison bâtie un peu plus loin sur la côte, l'homme vivait reclus. D'un âge avancé, il était un des membres fondateurs des chevaliers de l'équilibre de Berrion. Il s'était officiellement retiré après la Grande Guerre contre les troupes de Barthélémy et coulait depuis des jours heureux en admirant le mouvement des vagues et les couchers de soleil sur la mer. Fils de pêcheur, il avait combattu toute sa vie pour l'équilibre du monde et ne se sentait plus la force de continuer le combat. Malgré les offres répétées de Junos afin qu'il devienne ministre des armées, Alior aux Dents rouges avait fait ses adieux à la vie de guerrier. Il vivait paisiblement depuis plusieurs années dans une charmante petite maison près de l'océan.

– Il sera bientôt le temps de me tremper les pieds dans l'eau salée et toi, ma douce, de prendre l'air !, lança-t-il vers la mer en rigolant.

À ce moment, Alior sursauta, car il vit au loin un cavalier se diriger droit vers lui.

– Je ne sais pas ce qu'il veut, celui-là, mais s'il me cherche, je te jure qu'il va me trouver ! Ne t'inquiète pas, je m'en occupe!, dit-il comme s'il parlait à quelqu'un de bien vivant tout près de lui.

Alior aux Dents rouges saisit le poignard qu'il avait toujours à la ceinture et attendit patiemment que le cavalier s'approche. Rapidement, le vétéran-guerrier reconnut les couleurs de Berrion et rangea son arme. Il n'avait rien à craindre.

– Alior aux Dents rouges?, demanda le cavalier qui n'était qu'un coursier.

L'ancien guerrier se contenta de sourire. Son nom n'était pas qu'un sobriquet sans fondement, car il avait bien les dents d'un rouge éclatant. Le coursier en fut si étonné qu'il faillit bien tomber de son cheval.

– Et qui le demande?, dit fièrement Alior en se levant de son siège.

– J'ai un billet du grand souverain Junos pour vous, répondit le messager en retirant de son sac une lettre cachetée du sceau royal.

– Prends ceci pour ta peine!, fit le vétéran-chevalier en lui glissant une émeraude éclatante dans la main. Je peux t'offrir à boire ou à manger, jeune homme? La route est longue pour venir à ma rencontre.

– Merci pour votre gentillesse, mais j'ai d'autres messages à livrer et peu de temps pour m'exécuter! Votre pourboire témoigne de votre générosité et, grâce à vous, le voyage me paraîtra moins long.

– Je ne suis pas généreux, s'amusa l'ancien chevalier. Je suis riche! Cette pierre vient d'un bateau de pirates coulé à plus de cinq cents brasses dans l'océan. Entre nous, il n'y avait pas que des émeraudes là-dedans !

– Vous devez être un sacré nageur !, blagua le coursier.

– Non, j'envoie la femme faire le boulot !, rigola le vétéran. C'est à force de me crier des injures qu'elle a développé des poumons de fer.

– Puis-je me permettre une question avant de partir ?

– Tu veux savoir pour mes dents ?

Le coursier hocha la tête.

– Alors que j'étais tout jeune et que je me promenais sur la plage, j'ai découvert le corps d'une sirène. La pauvre, à peine plus âgée que moi, avait été surprise par des merriens et battue à mort. C'était la première fois que je voyais une créature aussi belle et délicate. C'était une belle jeune fille de la mer dont je suis immédiatement tombé amoureux. Sans réfléchir, je l'ai montée sur mes épaules et l'ai emportée avec moi vers une petite baie tranquille que je connaissais bien. Une fois en sécurité et loin des regards qui auraient pu nous surprendre, je l'ai soignée, veillée pendant des jours et des nuits, jusqu'à ce qu'elle ouvre les yeux et qu'elle aussi, dès son premier regard, tombe amoureuse de moi. À ce moment, nous avons juré fidélité l'un à l'autre dans un pacte de sang et échangé notre premier baiser. C'est à ce moment que mes dents se sont colorées et, depuis, elles sont rouges comme le soleil qui se couche.

– Bon, j'ai compris !, se résigna le coursier qui ne croyait pas un mot de ce qu'il venait d'entendre.

Vous êtes un fameux conteur et je n'aurai pas de réponse à ma question, n'est-ce pas ?

Alior lui fit un clin d'œil et le salua. Le coursier décampa au grand galop et disparut bien vite à l'horizon. Le vétéran-chevalier retrouva le confort de sa chaise et lut à voix haute le message de Junos.

*« Cher Alior, mon grand ami, mon compagnon d'aventure, j'ai besoin de toi. Mon fils adoptif, Amos, est présentement dans les mains de terribles démons qui ont décidé de lui faire payer les bienfaits qu'il a réalisés pour notre monde. Mes armées sont présentement en campagne sur le territoire barbare et j'ai besoin d'un général pour conduire les troupes dont je dispose encore. Tout naturellement, j'ai pensé à toi pour relever le défi. À ce qu'on m'a dit, tu es encore fort et solide. N'attends pas que ton épée rouille et viens me rejoindre. Amitiés. Mes salutations à ta femme Danädäelle. Ton roi et ami, Junos. »*

– Ah, ce vieux singe, il sait me prendre par les sentiments !, s'exclama Alior en regardant la mer. Malheureusement, j'ai pris ma retraite et il n'est pas question que je m'éloigne de toi ! Désolé, Junos, ce sera pour une prochaine fois !

Alior aux Dents rouges chiffonna le message et le lança en direction des vagues. Une main surgit soudainement de l'eau et attrapa le billet avant qu'il ne touche l'eau. Une femme aux longs cheveux blonds émergea soudainement des flots. Malgré les quelques rides à ses yeux et ses traits prononcés, la sirène était toujours d'une rare beauté. Elle aussi avait les dents rouges. Elle lut à son tour l'appel à l'aide de Junos.

– Tu abandonnerais un ami dans le besoin, Alior ?, murmura-t-elle.

Bien qu'il fut à une vingtaine de pas de la sirène, le vétéran entendit très clairement ce que sa femme venait de dire. Grâce au pacte de sang qu'ils avaient fait dans leur jeunesse, ils pouvaient se parler l'un l'autre, souvent à des lieues de distance, pourvu qu'ils soient près d'un cours d'eau. Cette connexion spéciale entre eux était inexplicable et avait eu comme conséquence étrange de leur teindre les dents.

– Pour rester auprès de toi, ma belle Danädäelle, sans hésiter !, répondit Alior toujours aussi amoureux de sa sirène. J'ai passé trop de temps loin de toi… Je ne veux plus remettre mon armure et repartir à l'aventure. Ici, j'ai trouvé la paix et tous les jours je partage ma vie avec toi. Je ne veux rien d'autre qu'une bière tiède et des couchers de soleil.

La sirène se retourna vers son vieil amoureux et lui offrit le plus radieux des sourires.

– Tu es ma merveille, ajouta Alior, et je ne veux plus être loin de toi.

– Je comprends, fit-elle en laissant le billet de Junos s'envoler au vent. Moi aussi, je suis bien quand tu es là et j'aime regarder les couchers de soleil en ta compagnie.

– Alors, tout est bien ainsi !, s'exclama Alior en abandonnant sa bière pour rejoindre sa sirène dans les vagues.

Comme à son habitude, le vétéran s'assit dans l'eau et sa femme nagea jusqu'à lui. L'un contre l'autre dans le clapotis des vagues, ils s'étreignirent en admirant le déclin du jour.

– Si un jour tu avais besoin de Junos, crois-tu qu'il viendrait à ton secours ?, demanda naïvement Danädäelle.

– Je crois bien que oui, soupira Alior qui connaissait bien le sens de l'amitié et de la fidélité qui animait le cœur de Junos. Tu crois que je devrais y aller, c'est ça ?

– Moi, je ne crois rien du tout, je ne faisais que poser une question ! Mais si tu décides de changer d'idée, ça te fera de nouvelles aventures à me raconter... D'ailleurs, je suis un peu fatiguée de toujours entendre les mêmes.

– Et si je pars, que feras-tu ?

– Je t'écouterai et te parlerai tous les jours, dit la sirène. J'irai aussi à la chasse aux trésors engloutis afin de te rendre toujours plus riche ! Puis, en attendant ton retour, je viendrai sur cette plage pour regarder chaque soir le coucher de soleil. Je surveillerai aussi notre maison...

– Je me fais vieux, Danädäelle..., avoua candidement Alior. Et j'ai peur de... j'ai peur de ne plus revenir. Plus jeune, je ne pensais pas trop au danger, j'avais confiance en mes muscles et mes réflexes, mais aujourd'hui, c'est un peu différent. Je suis souvent parti, loin de toi, et je ne veux plus me séparer de ma sirène. Je ne veux pas risquer de te perdre, de tout perdre.

Alior et sa femme, enlacés comme des gamins inquiets, regardèrent en silence les derniers rayons du jour se noyer dans l'eau.

– Tu as combattu à maintes reprises auprès de Junos et d'Amos, aussi, lui murmura Danädäelle. Combien de fois m'as-tu rapporté les exploits extraordinaires du porteur de masques en me précisant que ce jeune garçon avait une âme exceptionnelle capable de faire jaillir la bonté comme une source d'eau pure? Tu m'as vanté sa noblesse de cœur et tu m'as aussi répété plusieurs fois qu'Amos ne laissait jamais tomber ses compagnons d'aventure, n'est-ce pas?

– Tu m'énerves, Danädäelle!, fit Alior. Je sais tout cela et je comprends bien où tu veux en venir.

– Alors qu'attends-tu pour remettre ton armure, mon beau chevalier? N'as-tu pas un code d'honneur qui t'oblige à prêter main-forte à ceux qui le demandent?

– Oui, Danädäelle..., grogna Alior. J'ai toujours une armure et un code d'honneur, mais je suis à la retraite, ce qui signifie que je ne suis pas obligé de reprendre mon épée. J'ai déjà donné...

– Dommage!, soupira la sirène. Une petite aventure t'aurait fait le plus grand bien... Mais tu as raison... Il vaut mieux que tu restes ici!

– Sage décision, valida Alior. Pour moi, comme pour toi.

– D'autant qu'avec toute la bière que tu bois, ton armure est sûrement devenue beaucoup trop petite!

Piqué dans son orgueil, Alior jeta un œil inquisiteur sur la sirène.

– Ne me regarde pas comme ça, fit-elle en feignant l'indifférence, comme tu fais moins d'exercice et que tu bois et mange toujours autant, eh bien, il est normal que tu prennes du poids. Mais ne t'inquiète pas, j'en ai plus à aimer et cela me convient…

– Bon d'accord, tu as gagné ! Demain, je te montrerai que mon armure me va encore ! J'irai à Berrion pour donner un coup de main à Junos.

– C'est la bonne décision, mon valeureux chevalier !

– Mais dis-moi, j'ai beaucoup engraissé ces derniers temps ?

– J'ai déjà vu des baleines moins grasses…

– Oh !, fit Alior. Tu as raison, l'aventure me fera du bien !

# Chapitre 6
# La manifestation

Le père d'Hermine avait bien fait répandre la rumeur et tout Berrion savait maintenant qu'il soupçonnait Amos Daragon du meurtre de sa fille. Comme le prince était toujours introuvable, une marche de protestation s'était organisée dans la ville. C'était à croire que les habitants avaient tous été frappés d'amnésie en même temps et que personne ne se souvenait des exploits qu'Amos avait accomplis afin de les protéger. C'était grâce au porteur de masques qu'ils étaient encore en vie et que leur ville n'était pas tombée aux mains de Barthélémy, encore grâce à lui si elle avait été rapidement reconstruite après la guerre et toujours grâce à ses pouvoirs que de nombreuses vies avaient été sauvées. Amos avait toujours été un prince généreux et attentif envers ses citoyens. Aidant aussi bien l'un que l'autre et toujours souriant, il n'avait jamais refusé de mettre ses pouvoirs au service de quiconque. Pourtant, toutes ces bonnes actions semblaient avoir été oubliées au profit d'une haine sordide, d'une envie de vengeance à propos d'un assassinat dont il n'existait, en vérité, aucune preuve incriminante.

Commerçants, bourgeois et artisans avaient pris la rue en solidarité avec le tonnelier qui, marchant dans la ville, invitait les promeneurs à le rejoindre.

– Ma fille a été lâchement assassinée par le prince et nous savons qu'il se cache au château sous la protection de Junos !, criait-il à qui voulait bien l'entendre. Le souverain a des responsabilités et il ne doit pas étouffer la vérité ! Nous voulons la tête du meurtrier de ma fille, nous voulons la tête d'Amos Daragon !

Un important cortège suivait ainsi le tonnelier en portant des affiches où étaient écrits des slogans vindicatifs à l'égard du gouvernement de Junos. Plusieurs manifestants s'étaient munis de pavés et de divers objets qu'ils pourraient, au besoin, lancer sur le château pour mieux se faire entendre. Un vent d'anarchie et de révolte soufflait sur la ville.

– Ça ne se passera pas ainsi !, hurlait le tonnelier en colère. Le pouvoir ne peut se dérober à la volonté du peuple ! Le coupable doit payer pour son crime ! Amos Daragon doit se montrer et nous expliquer pourquoi il a tué Hermine, ma fille ! Les absents ont toujours tort !

Maintenant que le ouï-dire s'était bien enraciné comme une vérité dans la tête des habitants de Berrion et que personne ne croyait plus en l'innocence d'Amos, il avait fait des bourgeons et l'on parlait maintenant d'un sacrifice rituel. Après tout, le prince était magicien et s'affichait librement avec une gorgone et une sorcière noire comme les ténèbres. De toute évidence, il avait eu besoin de l'âme d'une jeune innocente pour recharger sa magie ! On parlait depuis longtemps de sabbats de sorcières dans la forêt que le prince présidait lui-même en compagnie de ses étranges amis. Ce meurtre en était certainement le point culminant ! Le prince avait besoin d'une motivation pour assassiner Hermine et quoi de mieux qu'une bonne séance de magie noire pour expliquer ses actes ? Ainsi, l'honneur de la victime était sauvé et l'horreur du geste revenait à Amos Daragon qui, n'étant pas là pour se défendre, devenait un coupable parfait

– Les riches et les puissants ne peuvent pas se moquer du peuple !, clamait le tonnelier enragé. Chaque homme est égal devant la loi et justice doit être faite ! Ma fille a le droit de reposer en paix en sachant que son meurtrier croupit derrière les barreaux !

– Moi, j'ai clairement vu une poule noire décapitée tout près d'Hermine !, lança un excité dans la manifestation. C'est un signe de sorcellerie ! Amos Daragon est un magicien noir et il doit être puni !

– Il voulait la violer et prendre son âme ensuite !, ajouta un autre diffamateur. Les chevaliers de Berrion nous cachent les preuves ! Nous voulons voir les preuves que vous avez dissimulées !

– Le peuple a le droit de savoir !, hurla le tonnelier. Nous voulons des réponses à nos questions !

Le cortège du peuple de Berrion s'était arrêté devant la grande porte du château où il scandait des injures au souverain Junos et à son beau-fils, Amos Daragon. Une bonne trentaine de chevaliers montaient la garde devant la porte et demeuraient, bouclier et épée à la main, en position de défense. Aucun d'entre eux, voyant l'agitation grandissante, ne souhaitait user de violence pour repousser le peuple, mais ils demeuraient prêts à obéir aux ordres. La situation était délicate, car dans cette foule, il y avait de bonnes connaissances, des amis et des parents. Un affrontement entre les chevaliers et la population n'était donc pas souhaitable.

C'est le moment que choisit Alior aux Dents rouges pour entrer dans la ville. Trop serré dans son armure et maintenant trop lourd pour son pauvre cheval en sueurs, il fit une entrée majestueuse à travers la foule. À son arrivée, les manifestants calmèrent leurs ardeurs et s'écartèrent pour le laisser passer.

Alior s'avança près de la grande porte pour poser maladroitement le pied à terre.

– Alior ?, fit l'un des chevaliers. Quel plaisir de vous revoir, mon général !

– Tout le plaisir est pour moi, mon petit !, lança le vétéran en arborant un large sourire. Occupe-toi de mon cheval, je crois bien qu'il est malade… Il est beaucoup moins performant qu'avant ! Il doit avoir attrapé un rhume ou quelque chose… Alors ! Qu'est-ce qui se passe ici ?

– Ces gens veulent la tête d'Amos Daragon et le roi Junos se prépare à venir les rencontrer, dit un jeune chevalier extrêmement nerveux. Nous sommes là pour nous assurer qu'ils demeurent patients et ne cassent rien, mais la situation devient de plus en plus problématique !

– Qui vous commande?, s'informa Alior.

– Personne pour l'instant, avoua le jeune chevalier. Nous sommes encore en formation et notre capitaine est malade… Il vomit depuis hier et peine à se tenir debout.

– Hum, je vois…, fit Alior aux Dents rouges. Bon, je prends la charge de ce bataillon, Messieurs! EN FORMATION, SORTEZ VOS ÉPÉES ET TENEZ-VOUS PRÊTS À FONCER DANS LE TAS!

Alior avait parlé assez fort pour que ses ordres se rendent aux oreilles des manifestants. Ceux-ci, soudainement intimidés par le déploiement des chevaliers, reculèrent de quelques pas.

– Toi!, dit-il en pointant un mécontent dans la foule. Oui, toi, avec les cheveux gras! Tu vois ce puits, juste derrière toi?

L'homme hocha nerveusement la tête de haut en bas.

– Ferme-le avec le couvercle de bois qui se trouve posé à côté!, commanda Alior. Je n'ai pas envie que ma femme entende ce que je vais dire… Allez mon grouillot, dépêche-toi! Bon… voilà qui est fait!

Le gros Alior remonta ses pantalons et avança d'un pas, toute bedaine devant, vers la foule des mécontents.

– On va se parler, vous et moi!, annonça-t-il en dégainant sa gigantesque épée. Je ne sais pas ce que vous faites là, ni pourquoi vous y êtes, mais le petit jeu est TER-MI-NÉ! Dans ma vie, j'ai affronté des créatures inimaginables et dignes de vos pires cauchemars. J'ai tranché la tête à plus d'ennemis qu'il y a de gens devant ces portes et combattu à mains nues des monstres qui avaient deux fois ma taille. À travers toutes ces luttes et ces combats, j'ai appris une chose…

– Qu'avez-vous appris ?, demanda timidement un curieux.

– Que la haine engendre la haine et que la violence n'est jamais la solution à un problème !, répondit Alior. Pour vous le prouver, je vous donne deux choix. Soit vous rentrez chez vous paisiblement, soit vous continuez à faire les pitres devant cette porte. Si vous partez, personne ne sera blessé, mais si vous restez, mes poulettes, je vous jure de vous botter le cul jusqu'à ce que votre derrière soit de la couleur de mes dents. Dans ce conflit, je serai votre miroir… Je répondrai à la violence par la violence, à la paix par la paix. Je vous laisse un moment pour y penser…

Tous les manifestants se retournèrent vers le tonnelier afin de voir sa réaction. Rouge de colère et frustré dans ses plans, celui-ci tourna les talons et quitta la place en maugréant. La foule, maintenant sans chef, commença alors à se disperser. Il ne resta devant la porte qu'une cinquantaine d'hommes étranges ressemblant à des bandits de grand chemin.

– Déguerpissez vous aussi, leur ordonna Alior, ou vous tâterez de mon épée !

Un homme fit quelques pas en avant et déclara qu'il avait rendez-vous avec le roi Junos. Il s'agissait de Mordoc de Mordonnie.

– Le souverain ne reçoit pas les mauvais sujets de son royaume, il les envoie plutôt visiter ses cachots !

– Malgré tout le respect qu'impose un vieux chevalier trop gros pour se glisser dans une armure, je vous demanderais encore une fois, et très calmement, de me laisser passer, dit Mordoc sur un ton arrogant. Ces jeux ne sont plus de notre âge…

– Tu cherches la fessée, mon petit bonhomme ?, grogna Alior aux Dents rouges en caressant le pommeau de son épée.

– J'aimerais bien voir votre technique, grand-père !, répondit Mordoc en dégainant deux longues dagues de combat.

– MESSIEURS, CESSEZ CES ENFANTILLAGES ET ENTREZ AU CHÂTEAU !, cria une voix du haut d'une tourelle.

C'était Junos qui venait de parler.

– Sauvé par le roi, petit !, lança Alior en se retournant vers les portes.

– Soyez heureux, vous venez d'allonger votre vie de quelques années, vieille carcasse !, répondit Mordoc.

À ce moment, une flagolfière pleine de béorites apparut derrière le château et se posa lentement dans la cour intérieure. Béorf à son bord revenait du Sanctuaire de Braves où les travaux, maintenant arrêtés à cause des événements entourant la disparition d'Amos, attendraient son retour.

Alors qu'il posait le pied sur la terre ferme, une petite fée jaune sortit du château et tournoya autour de Béorf.

– Prends cette bague, Béorf, et tourne-la deux fois dans ton doigt !

Le béorite connaissait déjà la fée qu'il avait régulièrement croisée près du portail menant au bois de Tarkasis.

– Elle est vraiment belle, cette bague !, fit-il en l'admirant.

Sans se soucier des conséquences, Béorf la glissa dans son petit doigt et suivit les indications de la fée. Sachant ce qui allait arriver, la petite créature se glissa rapidement dans les vêtements du béorite.

Béorf et la fée se dématérialisèrent d'un coup.

## Chapitre 7

# Les forestiers de Tarkasis

En moins d'une seconde, Béorf avait vu le monde se dérober autour de lui pour se reformer en une forêt aux grands arbres centenaires et au feuillage abondant. Le béorite glissa alors la main dans ses vêtements pour attraper la fée jaune. La petite créature entre ses doigts, il l'approcha de son visage.

– C'était quoi cette bague ?!, grogna-t-il avec mécontentement. C'était un piège, c'est ça ?

– Non, pas un piège..., répondit la fée. C'est plutôt une demande d'aide !

– Euh..., mais écoute, petite fée, je n'ai pas vraiment le temps pour ça, expliqua Béorf. Nous devons partir bientôt à la recherche d'Amos et mes béorites m'attendent !

– Derrière toi !

– Il n'y a rien derrière moi, fit Béorf en se retournant.

Derrière lui, une centaine d'archers tous vêtus de vert le regardaient avec étonnement. Béorf était apparu en plein milieu du champ d'entraînement, entre les tireurs à l'arc et les cibles.

– Je suis où, là ?, fit-il exaspéré.

– Vous êtes dans le bois de Tarkasis !, lança une voix que Béorf reconnut. Merci d'être là, car nous avons bien besoin de vous.

– Ah non, pas lui..., songea Béorf. Pas le vieux druide avec son pouilleux de chat.

– Je suis Mastagane le Boueux, Béorf !, fit le druide content de le voir. Tu te souviens de moi, n'est-ce pas ? Il y a bien quelques années que nos routes ne se sont pas croisées !

– Et comment que je me rappelle !, soupira le béorite sans grand enthousiasme. Et votre chat-espion, il est crevé ?

– Non, et il va très bien... Merci de t'en informer ! Il est à la maison et profite d'une retraite bien méritée.

Béorf observa Mastagane le Boueux de la tête aux pieds, il n'avait pas beaucoup changé. Toujours aussi sale, il avait cependant plus de champignons sur le corps qu'autrefois. Sur ses mains poussaient maintenant des amanites et une bonne quantité de morilles lui couvraient une partie du cou.

– La petite fée jaune m'a dit que vous aviez besoin d'aide ?, demanda Béorf déjà bien rassasié de familiarités. Il faudra faire vite, car je n'ai pas beaucoup de temps !

– Oui, en effet !, confirma Mastagane. Je t'explique. Nous avons ici l'armée de la reine Gwenfadrille et nous sommes incapables de trouver un chef. D'un côté, il y a Bois d'Orme... Avance-toi un peu, Bois d'Orme, pour qu'il te voie ! Et de l'autre, If de Brise... Toi aussi, fais un pas en avant ! Entre les deux, nous sommes divisés.

– Non, mais je rêve !, grogna Béorf. Vous m'avez fait venir ici pour que je vous choisisse un chef ! C'est complètement ridicule, je ne connais même pas ces hommes ! Je ne connais pas leur courage ni leur intelligence au combat et je ne les ai jamais vus performer ! C'est entre vous que le choix doit se faire, ce n'est pas de mes oignons, votre affaire !

– Oui, en effet, hésita Mastagane, mais nous sommes incapables de choisir entre les deux. Si tu voulais bien nous pointer l'un ou l'autre, notre dilemme serait enfin terminé ! Alors, lequel parmi ces deux valeureux pourrait nous faire un bon chef ? Ce sont deux archers accomplis !

Béorf soupira. Le druide n'avait rien compris.

– Un bon chef est un meneur capable de prendre les bonnes décisions !, fit le béorite. Qu'on m'apporte une chandelle !

– Nous avons déjà fait cet exercice et les deux candidats ont réussi à éteindre la flamme d'une seule flèche !, précisa Mastagane. Il ne sert à rien de recommencer.

– Une chandelle, s'il vous plaît !, insista Béorf.

Aussitôt, on lui apporta la bougie.

Béorf la plaça à une centaine de pas des deux archers, puis se retourna vers eux.

– Celui qui, d'entre vous deux, réussira à allumer cette bougie en se servant d'une seule flèche deviendra le chef, dit-il fermement.

Bois d'Orme s'avança en premier. Il banda son arc, puis décocha sa flèche. Celle-ci toucha la mèche, mais le contact fut insuffisant pour provoquer une étincelle. La chandelle demeura donc éteinte.

– Cet archer n'a pas l'étoffe d'un chef!, déclara Béorf. Quiconque possède de véritables qualités de chef y arrivera très facilement.

If de Brise tenta sa chance. Lui aussi banda son arc, mais à la différence de Bois d'Orme, il tenta d'intégrer un mouvement à sa flèche afin qu'elle frôle la mèche en tournoyant sur elle-même. Malheureusement, ce fut insuffisant.

– Les deux ont échoué…, s'étonna Mastagane. Nous n'avons donc pas de chef pour notre armée!

– À moins qu'un autre de vos archers ne désire tenter sa chance!, fit Béorf en invitant les forestiers à tenter leur chance.

C'est alors que, sortie de l'arrière du groupe, une toute petite forestière qui semblait la plus fragile du lot s'avança vers Béorf. Incertaine, elle le salua puis saisit une de ses propres flèches qu'elle enduit de suif afin de l'enflammer ensuite sous une torche. D'un pas trébuchant, elle marcha vers la bougie et y déposa la flèche sur la mèche qui s'enflamma aussitôt.

– Comment t'appelles-tu, jeune fille?, lui demanda Béorf.

– Je me nomme Nellas Calafaras…

– Eh bien, Nellas, tu as réussi l'épreuve!, confirma le béorite. C'est toi la nouvelle chef de l'armée de Gwenfadrille.

– Mais c'est impossible!, protesta Mastagane, Nellas n'est pas la meilleure archère du groupe!

– Et pourtant, répliqua Béorf, c'est la seule qui a trouvé comment exécuter correctement la tâche que j'ai demandé d'accomplir ! Un chef n'est pas nécessairement le plus habile guerrier d'un groupe, mais il doit être le plus intelligent et le plus rusé. La tâche d'un meneur est de trouver des solutions lorsqu'un problème survient et c'est exactement ce que Nellas a fait ! Et puis elle a du courage !

– En effet, avoua Mastagane. C'est bien vrai. Je... je crois que nous avons un chef ! Nellas est maintenant capitaine des forestiers de Tarkasis !

– Et je propose que Bois d'Orme et If de Brise soient ses seconds, recommanda le béorite. Ainsi, ils pourront conseiller et protéger leur capitaine ! Vous voilà maintenant avec une solide chaîne de commandement ! Bon... euh, je peux y aller maintenant ?

La fée jaune se posa dans la main de Béorf et tourna la bague dans son doigt.

Le béorite disparut aussitôt.

***

Lorsque Béorf se matérialisa dans la cour du château de Berrion, Junos était en plein discours et s'adressait à une foule de guerriers. Sur l'estrade à côté de lui étaient assises trois personnes, dont Nella Calafaras. Il y avait également une chaise vide.

– Mais qu'est-ce qui se passe ici ?!, s'impatienta Béorf. Je suis en retard !

– Je crois bien que les forestiers de Tarkasis ont mis moins de temps que nous à rejoindre le château !, s'étonna la petite fée jaune. Ça arrive parfois avec les voyages dans l'Éther !

– Quoi ? Je suis allé dans l'Éther !, fit le béorite. J'ai fait exactement comme Amos ? Il faudra que tu m'expliques certaines choses, toi.

– Je le ferai, mais pour l'instant, j'ai l'impression que tu es attendu !, lança la fée en s'envolant tel un oiseau-mouche.

– C'EST À CETTE HEURE QUE TU ARRIVES, BÉORF BROMANSON !, cria Junos de l'estrade. Dépêche-toi à prendre ta place sur cette estrade !

Béorf ronchonna un peu, puis monta s'asseoir avec les autres sous les applaudissements des béorites.

– Je te présente Mordoc de Mordonnie, fit rapidement Junos, il est là avec un groupe qui se nomme les aventuriers de Bratel-la-Grande. Ici, c'est Alior aux Dents rouges, mon nouveau général des chevaliers de Berrion et puis la petite, là, c'est Nellas Calafaras, la capitaine des forestiers de Tarkasis ! Il s'agit de l'armée personnelle de la reine Gwenfadrille du bois de Tarkasis. Je ne savais pas que la reine des fées avait entraîné ses propres archers ! Quelle bonne surprise, non ?

– En effet, répondit Béorf. C'est toute une surprise !

– Je suis désolée, dit Nellas à l'oreille de Béorf, mais il semble que nous ayons fait le voyage plus rapidement...

– Plus rapidement que moi, la coupa le béorite. Oui, je sais, ce sont parfois des choses qui arrivent lorsqu'on voyage dans l'Éther.

Junos reprit son discours.

– Et où en sommes-nous ?, demanda discrètement Béorf à Nellas.

– Il vient de nous parler de la porte des enfers… et tout le monde est très excité par cette mission.

– Tant mieux, se réjouit Béorf. Nous accueillerons ces démons avec un comité d'honneur !

## Chapitre 8

# La prison

Depuis le passage d'Amos Daragon dans les enfers, toute la structure des plans infernaux avait été chamboulée. Son sauvetage par les valeureux combattants béorites du Valhalla avait creusé de gigantesques trous dans les différents niveaux et provoqué de véritables catastrophes naturelles. À plusieurs endroits, le Phlégéthon s'était dérouté et coulait maintenant dans la forêt d'épines en brûlant tout sur son passage. Le huitième niveau, où s'entassaient anciennement séismes, tempêtes, éruptions volcaniques et sécheresses, avait laissé échapper une grande partie de ses cataclysmes. Flottant comme des bulles du premier au neuvième niveau, ils avaient grandement endommagé le royaume d'Orobas ainsi que le désert de Baal. La foudre s'était même abattue sur l'un des gigantesques murs d'airain de la prison du Tartare provoquant une brèche que tous les condamnés avaient réussi à passer pour s'échapper. Les trois gardiennes, Alecto l'Implacable, Mégère la Malveillante et Tisiphoné la Vengeresse, avaient ainsi vu les prisonniers dont elles avaient la charge disparaître sans qu'elles n'en comprennent la raison. Ce n'est qu'une fois la prison déserte qu'elles avaient trouvé la fissure à colmater. Depuis, les pauvres érinyes attendaient l'arrivée d'un démon maçon-forgeron spécialisé dans la réfection de l'airain, mais la liste d'attente était interminable à cause de la quantité de travail qu'il y avait à faire pour reconstruire les différents niveaux des enfers.

– J'arrive de la Cité infernale et on m'a promis que nous aurions quelqu'un d'ici trois à quatre cents ans, dit Alecto à ses partenaires.

– Quel service d'idiots !, grogna Mégère. Savent-ils que nous dirigeons une prison, que nous sommes un service essentiel ? C'est tout à fait terrible ! Nous avons immédiatement besoin d'un expert pour colmater la fuite, sinon nous verrons tous nos nouveaux prisonniers s'enfuir !

– Désolée, Mégère, j'ai insisté du mieux que j'ai pu, mais ils sont à court de personnel !

– Les enfers, ce n'est vraiment plus ce que c'était !, s'exclama Tisiphoné. Je me souviens d'une époque où l'on n'avait qu'à claquer des doigts et toutes nos volontés étaient immédiatement exécutées. Aujourd'hui, les choses ont bien changé… C'est désespérant, mes sœurs ! Je vous le dis, désespérant !

– C'est à cause des quatre porteurs de masques, s'indigna Mégère. Ils ont déresponsabilisé les dieux avec leur histoire de Dame Blanche ! Si bien que les patrons ne s'occupent plus de nous, ils savent que leur temps est compté et ne travaillent plus que pour s'assurer de garder un peu de pouvoir auprès de leurs fidèles. Ils nous ont délaissées, c'est clair !

– Et que fait-on ici ?, soupira Alecto. On se débrouille avec les moyens du bord ! Tous nos instruments de torture sont rouillés ! Les geôles sont remplies de champignons et la dernière tempête surprise, le tsunami, a emporté la moitié de la tour de notre personnel d'entretien !

– Avec la moitié de notre personnel d'entretien aussi !, compléta Mégère. Et depuis, nous sommes en sous-effectif ! Toute la main-d'œuvre des enfers est affairée à la réparation des différents niveaux, pas moyen de remplacer les grouillots que nous avons perdus ! C'est affligeant, mes sœurs !

Les érinyes avaient bien raison, car leur prison était en décrépitude. Sans prisonniers à cause de l'évasion massive, elles avaient dû mettre à la porte tous leurs démons tortionnaires et se débarrasser également des gardiens de cellules. Les catastrophes naturelles qu'elles avaient essuyées avaient affaibli la structure du bâtiment et le personnel d'entretien, majoritairement des incubes peu habiles dans le travail manuel, n'arrivaient pas à suivre le rythme de la dégradation. Une grande partie du toit était à refaire, ainsi que plusieurs barreaux de fenêtre. Les fondations commençaient à montrer des signes de fatigue et les oubliettes étaient remplies d'eau. Le Phlégéthon, le fleuve de feu, qui autrefois entourait la prison, s'était retiré en emportant avec lui sa bienfaisante chaleur. Si bien qu'aujourd'hui, tout le bâtiment était devenu humide et froid. La pierre des murs qui irradiait jadis une agréable chaleur ne renvoyait plus qu'une froideur insoutenable. Toujours grippées, les érinyes s'étaient procuré de chaudes couvertures qu'elles ne quittaient que rarement. Regroupées autour d'un immense feu de foyer où elles pestaient des journées entières, les gardiennes de la prison des dieux avaient perdu leur gloire et leur renommée.

Alors qu'elles se plaignaient entre elles du bon temps passé, la clochette de la porte de la prison se fit entendre.

– Qu'est-ce que c'est encore ?, fit Alecto d'une voix de crécelle.

– Va donc voir au lieu de te plaindre !, lui lança Tisiphoné. Il y a des mois que nous n'avons rien fait, ce sont peut-être des bonnes nouvelles !

Alecto se leva en maugréant. Elle était si bien sur le bord du feu, sous sa chaude couverture.

– Quoi encore !, hurla-t-elle en ouvrant la porte.

Un petit satyre postier, chapeau sur la tête et grand sac de cuir en bandoulière, lui présenta une lettre.

– Voilà pour vous. Veuillez signer ici, je vous prie, dit-il en lui présentant une plume.

– Du courrier !, s'étonna-t-elle. Je croyais bien qu'on nous avait définitivement oubliées. Merci et décampe maintenant ! Plus vite que ça, horreur de la nature !

Le satyre ne se fit pas prier.

– Qu'est-ce que c'était ?, demanda Mégère lorsque sa sœur revint s'asseoir près du feu.

– Du courrier !, répondit-elle en lui lançant la lettre à la figure. Regarde par toi-même !

S'aidant d'une de ses longues griffes, Mégère brisa le sceau et déroula la missive.

– Il s'agit d'un…, mais… mais… elle est bien bonne celle-là !, s'écria-t-elle. Il s'agit d'un ordre de réception !!!

– Un quoi !?, fit Tisiphoné. Mais c'est tout à fait impossible ! Et c'est pour qui ?

– Vous n'en croirez pas vos oreilles, mes amies, il s'agit d'Amos Daragon en personne !, les informa Mégère. Il est écrit que le porteur de masques était sous un mandat d'arrêt divin et qu'il vient d'être capturé par Béhémoth et Léviathan, les chasseurs de prime !

– Béhémoth et Léviathan !, s'étonna Alecto. Les dieux n'ont pas lésiné sur le prix, ce sont les meilleurs ! Ils valent une fortune !

– Ferme-la, Alecto, et écoute !, continua Mégère. Selon cette lettre, nous devrions le recevoir à la prison afin qu'il purge une condamnation aux souffrances éternelles !

– Mais ils sont fous !, hurla Tisiphoné. La prison n'est pas en état de recevoir personne, surtout pas pour une peine d'éternité ! Les salles de torture ne fonctionnent même plus !!! On ne va pas le fouetter personnellement jusqu'à la fin des temps ! Désolée, mes sœurs, mais moi, j'ai autre chose à faire. Si les dieux nous font parvenir un condamné, qu'ils aient au moins l'élégance de nous fournir du financement pour son hébergement !

– Et du personnel pour exécuter les condamnations !, ajouta Alecto. Moi, je refuse de recevoir de nouveaux prisonniers tant et aussi longtemps que la prison ne sera pas rénovée ! Voilà ce que je pense ! Qu'ils se le gardent, leur Amos Daragon !

– Tout à fait d'accord avec toi, acquiesça Mégère. Moi, je n'en ai rien à cirer de ce petit morveux !

– Faisons la grève !, proposa Tisiphoné. Une grève générale et illimitée !

– Excellent !, s'excita Mégère. Terminé le manque de respect à notre égard !

– Faisons des écriteaux pour réclamer nos droits !, proposa Alecto.

– BONNE IDÉE !, firent les deux autres érinyes en poussant des cris de joie.

***

Pendant que dans le Tartare les érinyes s'amusaient à inscrire sur des affiches des slogans désobligeants envers les dieux, Béhémoth et Léviathan avançaient lentement mais sûrement vers la porte des enfers. Portant Amos Daragon sur ses épaules, Béhémoth chantait des chansons grivoises alors que Léviathan terminait, en marchant derrière son mari, les restes d'une collation constituée d'un malheureux korrigan rencontré au hasard de la route.

– Voilà, ma douce, dit Béhémoth en interrompant sa chanson, nous voilà à mi-chemin ! Dans quelques jours, nous pourrons enfin passer la grande porte et rentrer chez nous.

– Oui, mon amour, répondit Léviathan. Nous irons déposer notre prisonnier dans le Tartare, encaisserons la prime et nous retournerons dans le confort de notre villa de la Cité infernale ! Quelle joie ce sera de retrouver notre chez-soi !

– Prenons une pause et regardons où ils en sont, proposa Béhémoth en laissant choir Amos comme s'il s'agissait d'un vulgaire sac de patates.

Léviathan avait bien compris que son mari parlait des chevaliers de Berrion. De toute évidence, ils n'allaient pas laisser tomber Amos et organiseraient de vastes recherches à travers le pays.

Les chasseurs de prime s'arrêtèrent donc pour prendre un moment de repos et Léviathan sortit une boule de cristal de ses affaires. Elle installa la sphère devant elle, puis se plaça confortablement devant. Après avoir prononcé quelques formules magiques, l'image de Berrion apparut clairement en son centre.

– Ils se regroupent dans la cour du château, dit-elle à Béhémoth. Il y a des chevaliers, des béorites et d'autres hommes de guerre habillés un peu n'importe comment… Plus loin, je vois des êtres humains ou des elfes, je ne sais pas trop. Ils ont des armures vertes, des boucliers à l'image d'une feuille d'arbre et ils portent de grands arcs. Il y a une bonne centaine d'archers. Pas de trace du dragon.

– Tu crois qu'ils se préparent à suivre notre piste ?, demanda Béhémoth.

– C'est évident, mon gros bêta d'amour… Tout ce beau monde se lancera à notre poursuite, mais nous avons beaucoup trop d'avance pour qu'ils puissent nous rejoindre, c'est peine perdue ! Avec le sort de marche rapide dont je nous ai fait bénéficier, jamais ils..., mais qu'est-ce que c'est ? On dirait des machines... des machines volantes ? ILS ONT DES MACHINES VOLANTES !

– Comment, mais de tels engins n'existent pas ma douce !

– Je te jure. Il s'agit de gigantesques ballons !, s'étonna Léviathan. Ils sont vraiment étonnants ces humains !

– Et tu crois qu'ils pourront nous retrouver avec ça ! ?

– Non, mais je crois qu'ils vont tenter autre chose !

– Quoi donc ?

– Je les vois, ils décollent !, fit Léviathan. Toutes les armées s'envolent !

– Pour où ?

– Pour la porte des enfers, ils vont tenter de bloquer la porte et de nous empêcher de passer. Comme ils n'ont pas le temps de nous suivre, ils vont tenter de nous devancer. Je crois bien que nous aurons une surprise en arrivant là-bas ! Le chemin du retour à la maison sera plus difficile à faire que nous l'avions cru, mon beau Béhémoth.

– Bof, pourquoi s'en faire ? Nous sommes assez puissants pour tous les tuer et passer la porte ensuite.

– Ce ne sont pas de vulgaires lamassous, mon chéri !, répondit Léviathan, les yeux toujours fixés sur sa boule. Ceux-là sont entraînés et ces archers n'ont pas une allure ordinaire. Il faudra se méfier !

– Dans ce cas, reprenons tout de suite notre route afin de passer la porte avant leur arrivée, proposa Béhémoth. Je ne refuse jamais une bonne bataille, mais si tu crois qu'il vaut mieux l'éviter…

– Oui, mon amour, nous devons faire vite !, conclut Léviathan toujours devant sa boule de cristal. Nous sommes maintenant dans une course contre le temps. Alors nous accélérons le pas et plus de pauses jusqu'en enfer. Tu sauras maintenir le rythme ?

Alors que Béhémoth allait répondre, Amos sortit de nulle part et fit sursauter ses ennemis. Armé d'une lourde branche d'arbre, il frappa de toutes ses forces la boule de cristal qui se fracassa en mille miettes.

– PETITE VERMINE !, hurla Léviathan en frappant Amos directement au visage. JE DEVRAIS TE TUER POUR CELA !

– Même si tu le voulais, tu ne le pourrais pas… Tu lui as lancé un sort d'immortalité, te rappelles-tu ?, fit Béhémoth.

– OH TOI, FERME-LA !, s'emporta à nouveau Léviathan en assenant des coups de pied dans le ventre d'Amos qui gisait au sol.

Béhémoth se tût et regarda la rage de sa femme déferler sur le corps d'Amos.

Une fois calmée, Léviathan reprit son souffle quelques instants. Le porteur de masques avait son compte et ne se relèverait pas de sitôt.

– Cette boule, mon cher Béhémoth, est un des instruments essentiels à ma magie, expliqua-t-elle. Sans sa force, je deviens moins puissante et donc plus vulnérable ! Sans cette boule, mon tendre ami, il est impossible de nous jeter un sort de marche rapide. Grâce à Amos, il nous faudra courir jusqu'à la porte des enfers, et ce, jour et nuit !

– Et si nous arrivons après les troupes de Berrion, eh bien, nous serons trop épuisés pour livrer combat, déduit Béhémoth. Ce qui n'est pas très bien pour nous, non ?

– Exactement !, confirma Léviathan.

– Bon, alors ?

– ALORS COURONS ! VITE, IL N'Y A PAS DE TEMPS À PERDRE !, lança Léviathan en décollant comme un lapin.

– Attends-moi ! J'arrive !

Béhémoth saisit le corps d'Amos et le jeta sur son épaule avant d'imiter sa femme.

# Chapitre 9
# L'attente

Les chevaliers de Berrion, les aventuriers de Bratel-la-Grande, les forestiers de Tarkasis ainsi que les béorites d'Upsgran étaient campés depuis près de deux semaines devant les grandes portes noires des enfers. Incapable de s'habituer totalement à l'odeur de putréfaction qui émanait de l'endroit, la troupe avait un peu reculé devant l'entrée, mais contrôlait complètement le périmètre. Impossible pour quiconque de pénétrer le camp sans se faire remarquer.

Alior aux Dents rouges avait parfaitement assuré la défense de leur position. Sa stratégie, qu'il nommait avec fierté la pelure d'oignon, était constituée de plusieurs couches de guerriers placées sur le terrain selon leur compétence. Plus loin à l'extérieur du camp, se trouvait une première ligne composée des aventuriers de Bratel-la-Grande. Ces hommes, capables d'une très grande furtivité, étaient chargés de sonner l'alarme à la moindre apparition des démons. La deuxième ligne, composée de béorites camouflés sous leur forme d'ours, pouvait répondre rapidement au signal d'alarme et offrir une bonne résistance aux démons avant l'arrivée, en troisième ligne, des forestiers de Tarkasis. Si, malgré les attaques sournoises des aventuriers, le corps à corps avec les béorites et les salves de flèches des forestiers, Béhémoth et Léviathan arrivaient près de la porte des enfers, ils seraient accueillis par un bataillon de chevaliers de Berrion en armure de combat, épée en main et bien entraînés. Le bataillon accompagné de Maelström pour leur prêter main-forte, les démons n'auraient d'autre choix que de quitter rapidement les lieux ou de mordre la poussière.

Malgré l'aridité du désert de roches où les armées campaient, les hommes étaient constamment ravitaillés en nourriture et en eau par les flagolfières qui faisaient la navette entre leur position et Berrion de deux à trois fois par semaine. Produits frais des campagnes autour de la ville et barils d'eau pure de la rivière traversant le bois de Tarkasis arrivaient en quantité afin de ravitailler le siège.

L'heure du dîner avait sonné et autour de la table de commandement, on se préparait à faire le point en dégustant les spécialités de Berrion. Assis au bout de la table, Alior saisit une énorme cuisse de dinde et commença à manger.

– Alors ?, demanda-t-il après avoir avalé une première bouchée. Faites votre rapport, j'écoute !

– Rien à l'avant, dit Mordoc de Mordonnie. C'est le calme plat. Pas une trace, pas un mouvement, rien.

– Pour ma part, c'est exactement la même chose, fit Béorf. Mes compagnons béorites n'ont rien à faire… à part manger, bien sûr.

– Les forestiers s'ennuient aussi, dit Nellas, pas de mouvement, toujours rien.

– Maelström et moi survolons les entourages deux à trois fois par jour et nous n'avons rien à rapporter. Ce coin de pays est partout le même et il n'y a aucune vie, pas même un insecte, à des lieues à la ronde. Nous les aurions repérés depuis longtemps s'ils avaient été dans les parages. Nous avons également fait des vols de nuit et, malgré ma facilité à voir dans le noir, je n'ai rien remarqué…

Alior soupira, puis, inspiré par un gros morceau de fromage, saisit celui-ci du bout de sa dague.

– Que faisons-nous maintenant ?, demanda-t-il avant de se rentrer le morceau tout rond dans la bouche.

– Il y a deux options, soit nous sommes en retard et les démons sont passés avant notre arrivée, fit Nellas, soit nous sommes en avance et les démons se présenteront bientôt.

– Je crois qu'il y a trois options, la corrigea Béorf. Ils peuvent aussi avoir trouvé un autre moyen de rejoindre les enfers. Après tout, il y a un magicien dans ce duo !

– Ils ont peut-être abandonné leur plan, proposa Mordoc.

– Ou ils attendent patiemment que nous retirions nos troupes, ajouta Médousa.

– Bref !, s'énerva Alior, nous ne savons rien et sommes condamnés à camper ici pour l'éternité ! Je connais aussi bien que vous la situation. Je veux des solutions, pas des hypothèses. Que suggérez-vous afin de nous tirer de cette impasse ?

Béorf regarda Médousa afin d'y retrouver un peu de sa complicité perdue, mais la gorgone tourna la tête. Depuis qu'elle ne lui parlait plus, le béorite avait perdu l'appétit et se sentait affreusement seul. Chaque jour, il essayait un peu plus de se rapprocher d'elle, mais, toujours en colère, Médousa refusait de lui adresser la parole. Il avait beau lui répéter sur tous les tons qu'il ne connaissait pas les liens qui existaient entre Hermine et Amos, celle-ci ne le croyait pas. Plus il insistait, plus la gorgone se refermait.

– Le plus simple serait d'y aller…, proposa Béorf en chipotant dans son assiette.

Sur ces mots, Alior cessa de mastiquer, Mordoc échappa sa fourchette, Nellas toussota et Médousa, pour la première fois depuis longtemps, regarda Béorf avec fierté.

– Euh… aller où ?, demanda timidement Mordoc qui se doutait bien de la réponse.

– Bien…, répondit Béorf. En enfer !

– En enfer…, répéta Alior surpris par l'idée. Tu voudrais que nous allions en enfer pour…

– Pour aller chercher Amos, c'est évident !, le coupa Béorf.

Pour la première fois depuis longtemps, Médousa sourit. Son béorite avait le courage d'une armée entière et cette qualité, même si elle était toujours fâchée contre lui, la remplissait de fierté.

– C'est fort simple, continua Béorf, nous laissons les armées ici pour surveiller l'entrée et désignons un petit groupe de braves pour passer la porte et mener de l'autre côté une enquête afin de savoir si les démons sont passés. C'est simple et efficace !

– Mais tu sais qu'il y a des démons de l'autre côté de cette porte, non ?, lui demanda Mordoc. Et les démons sont généralement très méchants et très puissants ! Personne, même pour un coffre rempli d'or, n'osera passer cette porte ! Il n'y a pas un être vivant assez fou pour se rendre volontairement dans les enfers !

– Ah bon !, s'étonna Béorf. Eh bien, moi, j'irai…

– Moi aussi !, ajouta la gorgone sans réfléchir. Je ne te laisserai jamais partir seul, Béorf.

Pour la première fois depuis longtemps, le béorite croisa le regard complice de sa copine. Satisfait et soulagé que les nuages noirs entre eux se dissipent enfin, il saisit un poulet entier et le plaça dans son assiette. Il avait retrouvé sa bonne humeur, mais surtout, son appétit. Il n'y avait pas de pire enfer que celui que Béorf venait de traverser, l'autre ne serait qu'une vulgaire promenade de santé.

– Si Bois d'Orme et If de Brise m'accompagnent, j'irai aussi…, dit timidement Nellas. Mais je ne me sens pas tout à fait prête à affronter des horreurs venues des profondeurs. En fait, tous les forestiers sous mes ordres n'ont jamais encore combattu… et moi non plus !

– Mais c'est de la folie !, s'indigna Mordoc. On parle ici de descendre volontairement là où n'importe quelle personne, même dérangée, refuserait de se rendre. Il n'y a pas un guerrier, aussi courageux soit-il, qui puisse entrer dans ce monde de ténèbres et en ressortir vivant ! C'est de la démence !

– Ce serait possible d'y aller, réfléchit Alior aux Dents rouges, mais il nous faudrait une solide protection magique, un grand mage quoi ! Et puis on ne pénètre pas dans les mondes souterrains sans avoir un bon guide ! Moi, je suis prêt à risquer la descente, mais pas sans quelqu'un pour nous conduire ! Il y a quelqu'un qui connaît un démon ici ?

Médousa et Béorf se regardèrent en souriant. En effet, ils connaissaient très bien une grande magicienne qui était aussi un démon.

– Oui, répondit Béorf. Je connais quelqu'un qui pourrait éventuellement nous accompagner. Si je vous la ramène, nous partons à l'aventure ?

– Non ! Très peu pour moi !, fit Mordoc. Il n'y a rien à gagner pour moi dans cette quête ! Je veux bien donner un coup de main, mais de là à me faire dévorer par des démons et d'autres créatures innommables, il y a une marge ! Même avec un guide et un magicien, le voyage demeure périlleux !

– Amos est déjà passé par les enfers et il nous a dit qu'il y avait d'incroyables richesses dans ces mondes souterrains, mentit Médousa. Il a parlé de rivière d'or et de plages entièrement constituées de pierres précieuses. Sans compter les armes magiques et les armures qui rendent invulnérable.

– Des plages de pierres précieuses !?, fit Mordoc soudainement plus intéressé. C'est vrai, cette histoire ?

– Je ne sais pas, mais c'est aussi ce que j'ai entendu, ajouta Béorf pour donner plus de poids à l'histoire de sa copine. Montre-lui la pierre qu'Amos t'a rapportée de là-bas, Médousa !

– Bien sûr !, fit la gorgone en dévoilant la gigantesque émeraude qui ornait la boucle de sa ceinture. La voilà !

En vérité, la pierre lui avait été offerte par Béorf afin de s'excuser de son comportement lors de la construction de la tour d'Upsgran. La gorgone avait ensuite demandé à un maroquinier de l'enchâsser dans sa ceinture afin qu'elle la porte en tout temps. La pierre, de la même couleur que sa peau, était en fait une création d'Amos. Avec les pouvoirs de son masque de la terre, il avait transformé un vulgaire caillou en une splendide émeraude pour ensuite la glisser dans les mains de Béorf.

– Ce n'est pas possible !, s'amusa Mordoc. Une telle pierre n'existe pas ! C'est du délire !

– Ces pierres n'existent pas sur terre, mais elles pullulent dans les enfers !, insista la gorgone.

– Oui…, bon, je… je…, balbutia Mordoc de Mordonnie. Je suppose qu'avec un bon guide et un magicien pas trop maladroit, j'accepterais de vous accompagner…, mais… mais seulement parce que je vous aime bien… et qu'il faut sauver Amos.

Vous êtes un sale vaurien qui ne pense qu'à s'enrichir !, l'insulta Alior aux Dents rouges, et vous devriez avoir honte !

– Il n'y a pas de honte à aimer les jolies pierres…, répondit laconiquement Mordoc.

– Alors très bien !, fit Béorf en se coupant une belle grosse tranche de jambon. Après dîner, Médousa et moi retournerons à Berrion. Elle pourra y convaincre Lolya et Aylol de nous suivre, moi, je rapporterai Gungnir, la lance d'Odin. Avec la protection de cette arme, nos vies seront protégées.

Alior se versa une bonne rasade de bière noire et leva son verre.

– Je bois à la première mission des chefs représentant les chevaliers de Berrion, les aventuriers de Bratel-la-Grande, les forestiers de Tarkasis et les béorites d'Upsgran ! Que cette coalition demeure toujours fraternelle ! Ensemble, nous accomplirons de grandes choses !

– Et moi ?, demanda Médousa. Je compte pour des noix !

– Non, mais non !, se reprit Alior. Je n'avais pas terminé… Et aussi Médousa la gorgone, seule de son clan, mais aussi vaillante qu'une armée entière !

– J'aime mieux ça !, conclut la gorgone

# Chapitre 10

# Aylol et Lolya

– Je vous avertis, elle est très dangereuse, l'informa le garde de la prison en ouvrant la porte de la cellule d'Aylol.

– Ne vous inquiétez pas, je sais me défendre !, lui répondit Médousa.

– Euh… avant d'entrer, dites-moi, ce… ce sont de véritables serpents qui ornent votre tête ?

En guise de réponse, la chevelure de la gorgone se dressa sur sa tête et plongea sur lui tel un essaim de vipères s'attaquant à une proie. Le garde poussa un cri et se laissa tomber face contre terre. Heureusement pour lui, aucun serpent ne se détacha de Médousa.

– Ça répond à votre question ?, demanda la gorgone en poussant la porte.

Sans attendre de réponse, elle pénétra dans la geôle souillée, puante et insalubre d'Aylol. Toujours enchaînée au mur, le corps mutilé et les vêtements déchirés, Lolya faisait pitié à voir. Lorsque Médousa l'aperçut, elle eut envie de la prendre dans ses bras, de la détacher et de la sortir de cet endroit malsain, mais elle se ravisa bien vite. Ce corps était bien celui qu'elle avait connu, mais l'âme qui l'animait n'était pas la même.

– Fous le camp, horreur de la nature !, lui adressa Aylol comme premier bonjour. Si tu restes encore une seconde devant moi, je crois bien que je vais vomir.

– J'aimerais parler à Lolya, demanda poliment Médousa. Elle est là ?

– Non, elle est morte !, répondit fièrement Aylol. Je l'ai tuée, la petite sorcière !

Médousa savait qu'elle ne devait pas croire les paroles de l'esprit malin qui habitait le corps de son amie. Lolya était encore vivante, elle en avait la certitude.

– Tant mieux !, bluffa-t-elle en retirant ses lurinettes, car je suis venue pour mettre fin à ta misérable vie, Aylol. Nous en avons assez de toi, et Junos m'a ordonné de te transformer en pierre. Ta statue ornera ce soir les jardins de la cour… Allez, regarde-moi !

– NON !, répondit Aylol paniquée. Si tu fais cela, tu tueras Lolya aussi !

– Mais…, fit Médousa en jouant l'étonnement, tu viens tout juste de me dire qu'elle était morte !

Piégée, Aylol entra dans une colère noire. Comme une enragée, elle se mit à hurler des insanités en proférant des menaces de mort à l'endroit de la gorgone. Se frappant la tête sur les murs en bondissant de tous les côtés, Aylol finit par se calmer. Médousa attendit le bon moment pour poursuivre la conversation.

– Je désire parler à Lolya, lui ordonna la gorgone. Sinon, j'en déduirai qu'elle est bien morte et je te transformerai en pierre. Je te laisse quelques instants…

– Sale pourriture !, lança Aylol avant de disparaître.

En moins d'une seconde, le visage de Lolya s'éclaira d'une lueur de gentillesse et d'amitié. Puis, en apercevant Médousa, elle afficha un large sourire. Malgré les nombreuses ecchymoses et les plaies ouvertes et infectées, la gorgone reconnut l'amie qu'elle avait connue.

– Tu es venue me voir, Médousa ?, dit Lolya d'une faible voix. C'est si gentil, je… je croyais qu'on m'avait oubliée… Ça doit faire au moins dix ans que je ne t'ai pas vue, n'est-ce pas ? Tu n'as pas changé… Le temps passe si vite…

– Lolya, si tu savais comme je suis contente de te voir !, lui dit Médousa dans l'urgence du moment. Je crois bien avoir trouvé une façon de te sortir de cette mauvaise position !

– Et Amos, comment se porte-t-il ?, demanda Lolya qui semblait délirer. Il est marié et il a des enfants ? Ce doit être de bons gamins… Tu sais, Amos et moi, on s'aimait… Il y a bien longtemps de ça, mais j'en garde un fabuleux souvenir…

– Non, Lolya, il y a seulement quelques mois de cela !, précisa la gorgone. Mais pour l'instant, ce n'est pas important… Je désirais simplement m'assurer que tu étais toujours vivante et que…

– C'EST ASSEZ!, hurla soudainement Aylol. Alors, tu vois bien qu'elle est vivante. Maintenant dégage, sale reptile!

Médousa sourit. Son amie était toujours bien là, dans son corps, et attendait le moment de se réveiller. Plus de temps à perdre, la gorgone devait maintenant passer à l'action. Elle et Béorf avaient élaboré un plan et il était maintenant temps de le mettre à exécution.

– Et si je te proposais de rentrer chez toi, Aylol?, lui demanda-t-elle.

– De rentrer chez moi..., mais où exactement?, grogna l'esprit malin.

– Dans les enfers!, répondit Médousa. N'est-ce pas là d'où tu viens?

Aylol eut un moment d'hésitation. La gorgone était-elle vraiment sérieuse ou lui tendait-elle un autre piège afin de parler un peu plus à Lolya?

– Qu'as-tu derrière la tête, pourriture de fond de marais?, répliqua Aylol sur un ton méfiant.

– Une balade de santé avec toi et d'autres de mes amis dans les enfers, précisa Médousa. Tu seras notre guide! Une fois notre balade terminée, tu rentres chez toi, c'est tout!

– Pourquoi veux-tu te rendre dans les mondes ténébreux?

– Pour l'instant, ça ne te regarde pas! Tu le sauras en temps et lieux.

– Je fais le guide et c'est tout!?, s'enquit Aylol.

– Je te demande de libérer aussi une partie de la conscience de Lolya, dit Médousa, car nous aurons besoin d'elle et de ses pouvoirs pour entreprendre l'expédition. Tu devras partager le corps de Lolya avec l'esprit de Lolya…

– J'accepte si, et seulement si, Amos Daragon demeure loin de moi!, précisa Aylol. Je ne veux pas le voir, ni l'entendre! Je le déteste…

– Parfait!, se réjouit Médousa. Amos n'est pas de ce voyage! Marché conclu?

Aylol prit un moment de réflexion. La gorgone lui proposait une chance unique de rentrer enfin chez elle et peut-être de revoir Baal, son maître adoré. Une telle proposition ne se présenterait pas deux fois!

– Oui…, accepta Aylol, marché conclu.

– Très bien, dit alors Médousa. Jusqu'à ce que nous ayons passé la porte des enfers, je te demande de libérer l'esprit de Lolya. Nous avons besoin de remettre son corps et ses idées en état… Tu comprends?

– Tu veux que je sommeille tout ce temps?, grogna Aylol méfiante.

– Tu nous surveilleras, Aylol, et si tu crois que nous sommes en train de te piéger, tu n'auras qu'à reprendre le contrôle de Lolya. Dès maintenant, nous devons nous faire confiance, l'une et l'autre.

– Sache que je ne fais pas confiance aux erreurs de la nature, comme toi!

– Moi non plus dans ce cas, fit Médousa. Je te surveillerai et au moindre faux pas, je te transforme en pierre!

– J'aime mieux ça…, rigola Aylol. Ce n'est pas la première fois que tu me sembles honnête, verrue! À plus tard…

Pour une seconde fois, la physionomie de Lolya se transforma de nouveau. Ses grands yeux et son sourire radieux transformèrent son visage.

– Gardes !, cria Médousa. Qu'on la détache et qu'on la fasse rapidement porter à la maison des guérisseurs.

– Mais c'est impossible, fit le garde. Nous devons avoir l'autorisation du roi !

– Eh bien, la voici !, leur signifia Médousa en présentant une lettre cachetée du sceau royal de Berrion.

La gorgone avait prévu le coup avec Junos.

***

Lorsque Lolya ouvrit les yeux, elle eut l'impression de se réveiller d'un long cauchemar. Repoussée par Aylol dans un recoin de son esprit, la nécromancienne se trouva enfin libérée de l'oppression qu'elle avait vécue depuis les derniers mois. Tout ce temps, Lolya avait la nette impression d'avoir été prisonnière d'une oubliette où l'obscurité dominait. Grelottant dans la boue vaseuse de ses pensées les plus sombres, elle n'avait aucun moyen de communiquer avec le monde extérieur, aucune façon de se sortir du piège dans lequel Aylol l'avait plongée.

– Enfin…, murmura-t-elle, je vois de la lumière…

Lolya venait de vivre les pires moments de sa vie et ne voulait plus jamais les revivre. Enfin délivrée, elle savourait pleinement sa résurrection. Le parfum des fleurs tout près de son lit, le son d'une mouche qui volait non loin de ses oreilles et le bonheur de sentir sur son corps la douceur des draps propres, tout autour d'elle semblait merveilleux.

Ravie par ces premières sensations, Lolya essaya de bouger, mais se rendit vite compte de l'état lamentable de son corps. Elle avait mal aux jambes ainsi qu'aux bras, aux épaules et à la tête. Rapidement, elle se rendit compte qu'elle avait été complètement rasée. Son crâne maintenant lisse était couvert de cicatrices, mais aussi de pansements.

– Aylol ne s'est pas trop préoccupée de ma santé, pensa-t-elle en regardant ses mains bandées. Je suis vraiment dans un état lamentable !

– Salut la petite ! Alors, on se réveille ?, dit une voix familière à ses côtés.

Il s'agissait de Béorf.

– Je te veille depuis un bon bout de temps, mais je ne croyais pas que tu te réveillerais aussi vite ! Tu es presque aussi forte qu'une béorite !

– Pffft !, fit Lolya. Je suis beaucoup plus forte qu'une béorite… Je suis si heureuse de te voir… Si tu savais, Béorf, j'ai passé un très mauvais moment. Maintenant, je peux me reposer…

– Oui, j'imagine…, mais… euh, comment te dire, hésita Béorf. Il faudrait quand même que tu fasses un effort pour… euh… pour rapidement te remettre sur pied.

– Qu'est-ce que tu veux dire ?

– Que nous avons un petit voyage planifié et qu'il faudra que tu sois très en forme !, l'informa

Béorf. En fait, nous avons organisé une petite virée dans les enfers et nous avons absolument besoin de toi !

– Écoute…, je veux bien t'aider, avoua Lolya, mais je ne comprends pas trop de quoi tu me parles, Béorf.

– Ça n'a pas d'importance, je t'expliquerai plus tard. En attendant, tu n'aurais pas un truc magique, une potion ou un sort pour te remettre d'aplomb ? C'est que le temps est compté, tu comprends ? Il faut faire vite !

Tout près d'eux, un guérisseur s'avança et confirma à Béorf que Lolya ne pourrait pas sortir de son lit avant plusieurs mois. La pauvre avait de nombreuses lacérations sur tout le corps, quelques os brisés et plusieurs infections parasitaires à soigner. Lolya n'était vraiment pas prête à affronter les épreuves d'une nouvelle aventure. Il lui faudrait du repos, beaucoup de repos.

– Oh !, s'étonna Béorf un peu dépité. Si nous devons attendre quelques mois, plus rien ne tient !

– Mais qu'y a-t-il de si important, Béorf ?, lui demanda Lolya. Je dois avouer que…

– Il n'est pas question que j'attende aussi longtemps, la coupa Aylol. Trouve-lui du sang frais et tout ira pour le mieux. Dépêche-toi, gros tas de poil ! Du sang…, elle a besoin de sang frais, c'est tout ! Rien ne la guérira mieux qu'une bonne dose de liquide écarlate !

– Elle est encore là, elle ?, s'inquiéta Lolya. Je t'avertis Béorf, je refuse de boire du sang !

– T'inquiète, gros tas, elle le boira!, s'interposa Aylol.

– Mais où vais-je trouver du sang?, se demanda Béorf étonné par cette solution.

– Tu es dans une maison de guérisseurs, triple andouille, voles-en!, s'énerva Aylol. Ta copine m'a promis de rentrer au plus vite dans les enfers! Moins tu t'actives, plus je retarde mon retour chez moi. Alors, tu bouges où je te botte le derrière! Du sang, nous avons besoin de sang!

Béorf regarda nerveusement autour de lui. Personne ne semblait avoir entendu la dernière conversation avec Aylol. Rassuré, le béorite se leva en toussotant puis, en parfait hypocrite, il se leva et fit mine de se dégourdir les jambes. Autour de lui, il n'y avait que trois vieillards qui ronflaient dans leur lit.

– Bon, Lolya…, dit-il en faussant comme un mauvais comédien. Je crois que… Lolya…, je crois que je vais aller marcher un peu…, ça me fera du bien aux pieds, car j'ai mal aux pieds depuis que j'ai beaucoup marché avec mes pieds et qu'ils sont endoloris comme des pieds qui font mal.

– Mais bon sang, quelle nullité, ce béorite!, grogna Aylol. Tais-toi et va chercher du sang. Fais vite et tâche de ne pas te faire remarquer!

La maison des guérisseurs était un endroit austère, à plusieurs étages, où des apothicaires et des herboristes travaillaient en collaboration avec des manipulateurs d'ossements, des anatomistes ainsi que des scientifiques spécialistes du corps humain. La nouvelle théorie médicale en vogue, grandement inspirée d'Amos Daragon et de ses masques de pouvoirs, était celle des humeurs. Selon cette théorie, tous les corps vivants, du plus petit insecte au plus gros dragon, étaient constitués des quatre éléments. Selon la maladie, un être vivant pouvait être chaud ou froid, sec ou humide. Trop chaud, c'était la fièvre, trop d'humidité faisait vomir et ainsi de suite. La tâche des guérisseurs était donc d'aider à rétablir l'équilibre des éléments au sein même du malade. Afin d'éviter les sautes d'humeur qui provoquaient instamment la maladie, ils avaient développé une série de traitements allant de l'ingestion de plantes jusqu'aux bains d'eau glacée. Cependant, il y avait encore de vieux médecins dans le bâtiment qui soignaient avec les anciennes méthodes en pratiquant toujours de virulentes saignées aux malades. Cette technique révolue avait pour but de guérir le patient en le vidant d'une partie de son sang. C'est précisément vers ces étages où il aurait une chance de trouver du sang que Béorf se dirigea.

– Halte-là !, lui cria quelqu'un dans le couloir. Qui êtes-vous et que faites-vous là ?

Le béorite se retourna et y alla d'un mensonge aussi gros qu'un dragon caché sous un lit.

– Je suis le… le guérisseur Bromanson, des Terres lointaines du pays de Lolya, et… je cherche… je cherche du sang pour une de mes expériences !

– Oh !, fit l'homme d'un certain âge qui semblait être un guérisseur de la vieille école, vous êtes nouveau ici ?

– Oui.., je suis là depuis quelques jours seulement…, mentit Béorf.

– Dites-moi, le pays de Lolya…, c'est dans quel coin ?

– Euh… c'est à l'ouest !, fit Béorf. C'est une petite île que… que personne ne connaît !

– Ah bon, très bien… J'irai peut-être là-bas, un jour, en vacances !, fit l'homme un peu perplexe. Vous disiez avoir besoin de sang ! ?

– Oui…

– J'en ai du frais, je viens de saigner quelqu'un, répondit le médecin. Entre nous, je ne crois pas à ces nouvelles théories des humeurs, et vous ?

– Moi… je… je…, balbutia Béorf. Je crois dans la bonne humeur !

– Intéressant ! Alors selon vous, il y aurait de bonnes et de mauvaises humeurs ?

– C'est évident !, fit Béorf. Je le vois tous les jours avec Médousa, si elle n'est pas de bonne humeur, c'est qu'elle est de mauvaise humeur ! Il n'y a rien entre les deux ! C'est bon ou mauvais !

Le vieux médecin entra dans une salle et en ressortit avec un seau de bois rempli de sang.

– Pour votre expérience, cher collègue, ce sera assez ?, demanda-t-il.

– Ce sera parfait !, lança Béorf avant de saisir le seau et de tourner les talons.

– Puis-je vous demander quelle expérience vous menez ?, demanda le médecin pendant que Béorf s'éloignait.

– Je fais du boudin !, répondit le béorite. Au revoir !

Béorf remonta aussitôt à la chambre de Lolya.

– Voilà ce que j'ai trouvé !, dit-il en déposant le seau sur le lit.

– Prends le gobelet juste derrière toi et donne-moi à boire, espèce d'ahuri !, maugréa Aylol. Je dois tout faire ici ! Tu vas voir, je vais la sauver ta copine, moi !

Le béorite s'exécuta et Aylol avala trois bons gobelets de sang. Le démon parasite s'endormit ensuite pour faire place à la conscience de Lolya.

Pendant l'échange, la nécromancienne se régénéra des pieds à la tête. Ses cicatrices disparurent les unes après les autres, sa peau retrouva son élasticité et tous ses muscles déchirés ou endoloris se raffermirent de nouveau. Sous les yeux de Béorf, l'état de Lolya passa de la convalescence à la parfaite condition physique. En quelques instants, elle s'était reconstituée des pieds à la tête.

– Je suis devenue un monstre, Béorf…, dit-elle en ouvrant les yeux. Aylol m'a fait boire du sang, car maintenant, je ne peux plus me nourrir d'autre chose. Je suis une otgiruru, tu comprends ?

– Non, pas vraiment, avoua le béorite. Mais si tu as besoin de boire du sang pour rester en vie et te sentir bien, je t'égorgerai quelques sangliers par jour pour te satisfaire.

– Le problème, c'est que je ne sais plus me contrôler lorsque j'ai soif !

– Alors, je t'assommerai pour te calmer !, rigola Béorf. Écoute, Lolya, on trouvera une façon d'affronter ce problème. Pour l'instant, nous devons nous rendre au plus vite à la porte des enfers.

– Oui…, les enfers, se remémora la nécromancienne, tu m'en as parlé tout à l'heure… J'aurai besoin de mes grimoires, surtout celui de la sorcière Baya-Gaya. Il me faudra aussi un peu de temps afin de préparer quelques potions et puis apporte le sang qui reste dans le seau, je me ferai quelques fioles pour emporter. Ça calmera peut-être mes crises !

– Parfait, sortons d'ici au plus vite !, fit Béorf. Nous avons du pain sur la planche !

# Chapitre 11

# Les plans changent

Béhémoth et Léviathan avaient couru le plus rapidement possible, mais ils étaient arrivés en retard. Les armées de Berrion s'étaient déployées tout autour de la porte des enfers bloquant ainsi le passage. Les deux démons avaient élaboré des plans pour contourner les troupes, les affronter en combat ou tenter de passer furtivement, mais aucune de ces idées n'était réalisable. Cantonné dans une grotte à deux ou trois lieues de leur objectif, le couple de mercenaires se creusait la tête afin de trouver une bonne idée pour arriver à leurs fins.

– Moi, je dis qu'il faut foncer dans le tas et se frayer un passage au marteau de guerre !, proposa Béhémoth. Après tout, je suis immortel !

– C'est stupide comme idée, mon gros ourson !, répliqua Léviathan. Car une fois que tu auras des centaines de flèches dans le corps, ils t'immobiliseront pour te couper la tête, les deux bras et les jambes. Immortel ou non, si on enterre chacun de tes membres dans un pays différent, je ne crois pas que tu pourras un jour retrouver tout ton corps.

– L'argument est bon…

– Il nous faut penser à une autre route, il existe certainement une autre façon de nous faufiler dans les enfers !, s'interrogea Léviathan.

– Euh… j'ai déjà entendu parler d'un lieu, se remémora Béhémoth. Je crois qu'il s'agit de l'abbaye de Portbo !

– Oui, je sais…, j'en ai aussi entendu parler, mais ce n'est qu'une sortie, personne ne peut y entrer, expliqua Léviathan. Elle se trouve sur l'île d'Izanbred et elle est gardée par un démon qui est malheureusement un ami de notre prisonnier ! Pas de chance !

– Mais alors, que fait-on ?, s'impatienta Béhémoth. On reste ici jusqu'à ce qu'ils s'en aillent ? Tu es certaine qu'on ne pourrait pas les affronter ?

Léviathan ne prit pas la peine de répondre à cette question et elle commença à consulter son grimoire de magie. Il y avait de nombreuses façons de se rendre dans les enfers, mais elle ne disposait pas des bons ingrédients pour ouvrir un passage, ni de la position favorable des astres. Elle et Béhémoth étaient véritablement dans une position difficile.

C'est à ce moment qu'une petite corneille vint se poser juste devant l'entrée de leur cachette. Alors que Béhémoth allait la massacrer d'un coup de son marteau de guerre, Léviathan l'arrêta. Son mari n'avait pas vu que l'oiseau portait un message attaché à sa jambe. Elle le prit, saisit le message, puis croqua l'animal comme s'il s'agissait d'une vulgaire carotte. Après deux bouchées, il ne restait plus rien du messager.

– Qu'est-ce que ça dit ?, demanda Béhémoth qui ne savait pas lire.

– Ça vient de l'Amicale des sorcières de la Cité infernale, expliqua Léviathan en déroulant le message. Tu te rappelles, ce sont les copines avec qui je joue aux cartes lors des nuits sans lune. Je suis vraiment curieuse, car il est rare qu'elles m'envoient des corneilles voyageuses ! Ce doit être important !

Léviathan lut attentivement le message, puis elle devint verte de rage. Le démon se mit à pester et à pousser des cris de contrariété. Béhémoth comprit rapidement que sa femme avait vu juste et que les nouvelles ne semblaient pas très bonnes. Afin de ne pas attiser sa rage, il laissa Léviathan se reprendre en main avant de demander, timidement, si elle désirait partager la nouvelle.

– Si je veux te dire de quoi il s'agit ! ?, s'emporta à nouveau Léviathan. Eh bien, oui, je vais te le dire ! Les érinyes, ces bonnes à rien, viennent de se mettre en grève ! La prison du Tartare est fermée jusqu'à nouvel ordre !

– La prison… fermée ! ?

– Oui, fermée comme dans « plus de prisonniers acceptés » !, ragea Léviathan. Tu te rends compte de quoi nous avons l'air ? Nous arrivons avec un condamné, mais personne ne sera là pour exécuter sa sentence ! Et qui nous paiera la rançon pour cette prise ? PERSONNE ! Aussi bien dire que nous travaillons pour rien depuis le début de cette chasse ! C'est révoltant !

– Je n'en reviens pas..., ajouta Béhémoth sous le choc. Et qu'allons-nous faire de lui ? On le relâche ? On le tue ? C'est vraiment embêtant toute cette histoire !

– À qui le dis-tu !, pesta Léviathan. Heureusement que mes amies ont eu la gentillesse de m'avertir, sinon tu nous vois, debout comme des dindes devant le mur d'airain, espérant qu'on nous ouvre la porte de la prison ?

– Que faisons-nous alors ?

– Nous ne faisons rien, mon chéri ! Nous demeurons ici et nous cherchons une solution.

Désespérés, les démons s'écroulèrent au sol. Depuis qu'ils avaient capturé Amos, rien ne semblait leur sourire. Ils étaient fatigués par leur course, prisonniers de leur cachette et maintenant immobilisés par une grève stupide qui les empêchait de terminer leur travail. Aucun d'entre eux n'avait le pouvoir de ramener les Érinyes au travail et encore moins d'invoquer un dieu pour qu'il leur vienne en aide.

– Il n'y a rien à faire, conclut Léviathan en haussant les épaules. Nous ne pouvons pas relâcher notre prise et personne ne peut nous l'acheter ! C'est l'impasse...

– À moins que..., tenta Béhémoth, à moins qu'il y ait une autre prison pour y accueillir notre prise ? Tu en connais une autre, toi, mon amour ?

Léviathan eut un mouvement de recul. Bien sûr qu'il existait une autre prison des dieux, mais elle se trouvait dans les mondes des dieux positifs, dans un endroit qu'on appelait les Champs

Élysées. Après tout, Amos avait été condamné par tous les dieux et non seulement par ceux des ténèbres et des mondes souterrains. Bien sûr, aucun démon ne s'était jamais rendu dans les Champs Élysées, mais ils n'avaient aucune bonne raison de s'y rendre. Alors qu'eux, c'était différent.

– Tu es un génie, mon amour, un véritable génie !, le complimenta Léviathan. Nous allons livrer Amos Daragon à la grande prison divine des Champs Élysées. C'est à cet endroit que sont gardées les créatures des mondes positifs qui ont mal agi. Contrairement au Tartare où la torture est clairement tolérée et même fortement encouragée, les hypocrites des Champs Élysées se disent non violents avec leurs pensionnaires, mais martyrisent en secret. Et puis j'ai déjà entendu dire qu'ils payaient bien ! Parfois même le double, lorsqu'ils désirent s'occuper eux-mêmes de l'un des leurs.

– Ce sont des barbares en costume de soie, ma douce fleur ?, demanda Béhémoth ravi que son idée ait eu autant d'impact.

– Le seul problème sera de trouver le passage nous menant jusqu'à leur merveilleux monde fallacieux et propre, murmura Léviathan. Ce serait si simple si j'avais tous mes grimoires sous la main ! Loin de mon laboratoire, je me sens impuissante !

– Mais, es-tu certaine qu'il existe véritablement un passage pour y aller ?

– Notre monde, mon beau Béhémoth, est comme un fromage rempli de trous, lui expliqua

Léviathan. Il existe toujours une façon de glisser d'un monde à un autre. Il suffit d'en connaître le lieu et d'y arriver avec la bonne combinaison astrale !

– Alors il faut rapidement te trouver un laboratoire ?

– J'ai besoin d'un astronome et de quelques ouvrages de référence, réfléchit Léviathan. Les harpies… oui, les harpies de l'île des Arkhous, c'est là que nous devons nous rendre !

– Et c'est loin d'ici ?, s'enquit Béhémoth qui en avait assez de courir.

– Oui, c'est complètement à l'ouest ! Allez mon beau, on quitte cette grotte !

– Et que fait-on d'Amos Daragon ?

– Tu le gardes inconscient ! Je n'ai pas envie d'avoir de problèmes avec lui. De toute façon, assomme-le autant de fois que tu le désires, il ne peut pas mourir.

– Très bien, j'y veillerai !

## Chapitre 12

# Une visite surprise

Anx la Noire, la reine incontestée des harpies, était bien installée sur son perchoir et attendait avec impatience qu'on lui apporte son dîner. Tout en maugréant sur la lenteur du service, elle observait avec délectation le repas que prenaient quelques vautours venus s'installer non loin de son poste d'observation. Les rapaces se partageaient les restes d'un faune qui avait assurément eu l'imprudence de s'aventurer loin de ses terres. Cette proie bien faisandée aurait pu plaire à la reine, mais la viande du faune était très grasse et Anx avait entrepris depuis peu un régime afin de perdre du poids. Elle s'était mise aux rats et aux œufs de mouettes qu'elle dévorait crus à chacun de ses repas. Ce régime, pensait-elle, allait certainement lui redonner une taille convenable afin d'améliorer ses performances en vol.

Au lieu d'apprécier le paysage grandiose qui se déployait sous ses yeux, Anx préférait manifester son impatience. Devant la mer Tourmentée, qui s'étendait à perte de vue tel un grand tapis bleu toujours en mouvement, la reine des harpies ne voyait que son déplaisir d'attendre son repas. Au lieu de se délecter de l'air iodé et de la musique du mouvement des vagues se brisant sur les falaises entourant son île, la déplaisante créature n'avait d'attention que pour son ventre qui gargouillait. Dans ce havre de beauté, la reine et ses harpies n'avaient pas leur place. Pourtant, elles y étaient depuis de nombreuses années et elles n'avaient manifestement pas l'intention de quitter l'endroit.

Toujours de mauvaise humeur, Anx la Noire hurla pour qu'on vienne enfin la servir. Curieusement, aucune harpie ne se présenta. Redoublant d'ardeur, elle cria à nouveau, mais cette fois en direction de ses sœurs vers la mer et les falaises. Toujours rien. Aussi bête que laide, la reine de se douta pas qu'il ait pu y avoir un problème quelconque empêchant le service de son repas. Non, au lieu de se questionner, de se remuer pour aller constater d'elle-même ce qui n'allait pas, elle demeura assise sur son gros postérieur en poussant des cris d'enfant gâtée. Fatiguée qu'on l'ignore, la souveraine des harpies entra dans une crise de nerfs qui ne fit qu'augmenter son irritation.

C'est à ce moment qu'Anx la Noire, en pleine poussée de rage, sentit une large main lui saisir le cou. D'un coup, elle fut violemment arrachée de son perchoir par une force surhumaine qui la souleva dans les airs.

– Ferme ta gueule, sale bête !, lui dit une voix caverneuse pendant qu'elle recevait une pluie de coups de poing au visage. Tu es insupportable ! Prends ça ! Et encore un autre sur ta sale figure dégoûtante ! Maintenant, tu fermes bien ta gueule ou je vais devoir recommencer. Ma femme, juste ici, désire te parler, raclure ! Ouvre bien tes oreilles !

– Merci mon amour, dit Léviathan à son monstre de mari. Tu sais si bien me préparer le terrain. Tu me fais gagner de précieux instants.

Béhémoth afficha un sourire timide, puis enfonça son poing dans le ventre de la harpie.

– Je crois qu'elle est prête pour toi, douce brise marine !, lui répondit Béhémoth en minant un baiser à sa douce.

– Bonjour, horreur de la nature !, dit-elle en regardant Anx la Noire. Je m'appelle Léviathan et le colosse qui te tient par le cou est mon mari, Béhémoth. Nous avons un petit service à te demander ! J'espère qu'on ne te dérange pas trop ?

Paniquée, Anx chercha du regard les autres harpies afin de les appeler en renfort, mais elle ne vit personne. On aurait dit que ses sœurs avaient toutes disparu.

– Ne t'inquiète pas, continua Léviathan, nous sommes seuls sur cette montagne. Béhémoth a fait un peu de ménage lorsque tes copines ont décidé de nous attaquer alors que nous venions te rendre une gentille visite de courtoisie. Elles étaient tellement imbues d'elles-mêmes que, refusant de nous écouter, nous avons dû en éventrer quelques-unes avant qu'elles consentent à dégager le passage. Rapidement, tes petites camarades ont décidé de fuir plutôt que d'assurer ta protection. Il faut dire que Béhémoth fut très insistant et peut-être même un brin violent ! Dans votre culture, j'ai remarqué que la couardise est vénérée dans votre échelle de valeurs !

Anx voulut répondre, mais Béhémoth, qui la tenait toujours par le cou, l'empêcha d'émettre un son. Et puis il valait peut-être mieux pour elle de ne rien ajouter, car s'il s'impatientait, le démon lui briserait facilement la nuque.

La reine se contenta de sourire un peu bêtement.

– Je vois qu'elle semble apprécier notre présence !, ironisa Léviathan. Merci de nous accueillir si aimablement. Comme je te disais tout à l'heure, j'ai un petit service à te demander. J'aimerais beaucoup avoir accès à ton laboratoire personnel ! Je sais que les reines harpies se targuent de pouvoir pratiquer la magie, n'est-ce pas ?

Anx confirma d'un mouvement de tête que Léviathan avait bien raison.

– Je vais donc te l'emprunter, car j'ai de petites recherches à y faire ! Tu n'y vois pas d'inconvénient ?

La reine se contenta de hausser les épaules pour signifier son désintéressement et montra du bout de l'aile une grotte non loin de là. Satisfaits, Béhémoth et Léviathan s'y déplacèrent en entraînant Anx. Toujours dans son inconfortable position, la reine leur indiqua quelques pièges à désamorcer servant à assurer la protection des lieux, puis ils investirent le laboratoire.

– Ah ! le voici enfin, ce laboratoire !, se réjouit Léviathan. Entrons de ce pas !

– J'allume une torche, ma douce ?, proposa Béhémoth.

– Oui, mon colosse ! J'espère que cette saleté de harpie possède une bibliothèque qui se respecte sinon je vais devoir lui ouvrir le ventre et lire dans ses organes. Il s'agit d'une technique de divination particulièrement douloureuse pour la victime, mais combien efficace !

Anx déglutit. Elle se croisa ensuite les plumes en espérant que le monstre à la gueule de requin y trouve son compte.

– Ah non !, s'indigna Léviathan. Mais quel fouillis !

Le laboratoire était dans un désordre complet. À ce moment, Anx la Noire aurait bien aimé pouvoir ironiser en leur expliquant qu'elle y aurait fait un peu de ménage si elle avait pu prévoir leur arrivée, mais encore une fois, elle préféra se taire. Béhémoth lui serrait toujours le cou et jeter de l'huile sur le feu ne lui servirait à rien. Cependant, Anx remarqua pour la première fois depuis son perchoir qu'elle n'était pas la seule victime des démons. Avec elle, il y avait aussi un jeune être humain très mal en point que Béhémoth promenait sans précaution comme s'il s'agissait d'un pantin.

– Ce laboratoire est une honte !, ajouta Léviathan. Mais comment peut-on avoir aussi peu de respect pour ses livres et pour le savoir qu'ils contiennent. Cette harpie mérite une bonne correction !

Aussitôt, Béhémoth lui envoya quelques coups de poing au visage. Anx se laissa faire sans essayer de se défendre. Elle aurait bien voulu expliquer qu'elle n'avait aucun attachement à ses bouquins, mais s'accommoda plutôt d'en prendre plein la gueule.

Tous les livres d'Anx la Noire appartenaient à l'origine à des voyageurs marins qui avaient eu la malchance d'être attaqués, puis de voir leur embarcation coulée par une attaque de harpies. Les monstres ailés pillaient systématiquement les bateaux s'approchant de leur antre, puis les envoyaient par le fond. C'est ainsi que les créatures de l'île des Arkhous procédaient pour acquérir leur richesse, mais surtout leur savoir. Enfin, la reine avait récupéré des ouvrages dans une trentaine de langues qu'elle était incapable de lire puisqu'elle était illettrée. Il y avait de grands ouvrages à étudier dans la bibliothèque d'Anx, mais aucune harpie n'était capable de les comprendre. Mais le ridicule ne s'arrêtait pas là !

Lorsqu'elle pratiquait la magie, Anx la Noire ouvrait n'importe quel livre, puis elle improvisait les ingrédients de ses sorts en faisant mine de lire attentivement la procédure. De plus, elle inventait carrément des formules inadéquates qui ne fonctionnaient presque jamais. En utilisant ce procédé, Anx la Noire arrivait, en ajoutant une interprétation théâtrale à ses préparations occultes, à épater ses sœurs harpies qui s'imaginaient avoir une reine aux immenses pouvoirs. Ses potions et ses sorts tournaient souvent à la farce. Une fois, Anx avait transformé une de ses assistantes en plant de tomates et, une autre fois, elle avait confectionné, par le plus grand des hasards, une boisson pour rafraîchir l'haleine. Pour le peuple des sottes harpies, ces deux grands succès constituaient une preuve irréfutable de la puissance magique de leur reine.

Léviathan observa une seconde fois le laboratoire d'Anx, puis elle poussa un long soupir de découragement.

– Nous avions bien besoin de ça, mon beau Béhémoth !, dit-elle. Après la difficile capture de notre proie, la destruction de ma boule de cristal, les armées de Berrion devant la porte des enfers et, finalement, la fermeture de la prison du Tartare, voilà que nous serons obligés de décrasser une harpie ! Décidément, il y a des missions plus difficiles que d'autres…

– Nous pourrions l'obliger à faire le travail pour nous !, proposa Béhémoth.

– Elle est trop idiote pour me procurer ce dont j'ai besoin… Je suis certaine qu'elle ne sait même pas ce qui se trouve ici ! Anx, tu as le livre *Explorabis extra terram* de Virak Ak Al-Qatrum ? C'est un des livres les plus recopiés ! Il explique la construction des mondes parallèles et suggère des voies d'accès. Tu vois de quoi je parle ?

Anx la Noire exhiba un stupide sourire d'incompréhension.

Manifestement, Léviathan devrait chercher dans ce fouillis pendant des jours avant de trouver les informations qu'elle désirait.

– Quelle stupide créature !, se scandalisa Léviathan. Cette race d'idiotes ne mérite pas de vivre ! Surveille-la, mon bel amour… Je ferai le plus rapidement possible, mais je crains que nous soyons confinés à cette grotte pour un bon moment.

– Tu veux que je t'aide à chercher, mon bel amour…

– Non merci, beau colosse, c'est quelque chose que je dois faire seule ! Tu ne ferais que me ralentir.

– Parfait, ma jolie, répondit Béhémoth en se débarrassant du corps d'Amos dans un coin sombre de la grotte. Je garde celle-là bien en main et l'autre, je le dépose par terre sur ce tas d'ossements. Bon courage !

– J'en aurai besoin…, répondit Léviathan en commençant le travail.

Les recherches prirent trois jours. Trois longues journées où Amos demeura sans bouger sur son tas d'ossements. Trois jours où, prisonnier de sa tête, il tourna en rond dans la maison de son ancien maître sans trouver de sortie. Trois jours de silence et d'angoisse à se remémorer le meurtre d'Hermine et la dégénérescence de Lolya. Trois jours à se convaincre qu'il était responsable du malheur de ses amis et que, sans lui, ils auraient eu une meilleure vie. Trois journées suffocantes où son âme, prête à quitter définitivement son corps, essayait par tous les moyens de s'évader de sa prison corporelle. Trois jours de malaises et de souffrances, d'épreuves et de supplices. Trois jours à se répéter, sans arrêt, qu'il n'était plus rien sans ses masques de pouvoirs, qu'il ne les retrouverait jamais, qu'il ne valait même pas la peine d'essayer quoi que ce soit. Trois longs jours où, tous les matins, le sort d'immortalité lui permettait de reprendre conscience, mais jamais assez longtemps pour essayer de fuir ses gardiens. Chaque fois, Béhémoth était aux aguets et lui brisait le cou avant qu'il n'ait pu se lever. Il retombait alors dans ce fantasme noir, toujours prisonnier de la cabane de Sartigan. Même en enfer, Amos n'avait jamais connu pire souffrance.

– Voilà finalement ce que je cherchais, fit enfin Léviathan après de longues journées de travail. Regarde, mon adorable Béhémoth, il s'agit d'un livre en langue mahite qui décrit les différents plans d'existence divine et leurs points d'accès. Ce n'est pas le bouquin que je cherchais, mais celui-ci fera amplement l'affaire. Je crois que nous sommes sur la bonne voie ! Bientôt, nous livrerons notre colis et nous pourrons retourner chez nous.

– Dépêche-toi de terminer, mon amour, répondit Béhémoth sans grand intérêt, je suis vraiment fatigué d'être ici. J'ai besoin de bouger, de faire un peu d'exercice ! À force de demeurer inactif, je déprime !

– Oui, mon beau en manque de sang… Je plonge dans le livre et… voilà, c'est ici, sur l'île Blanche.

– L'île quoi ? !

L'île Blanche était un tout petit bout de terre situé à l'embouchure du premier fleuve du royaume de Wassili, plus connu sous le nom de la Terre Verte. Uniquement habitée par des druides humanoïdes mi-hommes mi-animaux, l'île Blanche tirait son nom de la multitude de pommiers qui y florissaient durant toute l'année. Selon la variété d'arbre, des fleurs blanches se succédaient au rythme des saisons. Même l'hiver, les pommiers de glace, une variété très rare et dont le fruit naturellement rempli d'alcool enivrait ceux qui en abusaient, ouvrait ses fleurs sous les rafales des vents froids du Nord.

Les habitants de l'île se vêtaient aussi de blanc à longueur d'année et, tout comme leur terre, n'arboraient jamais de couleurs. Centaures et minotaures, faunes et même quelques elfes y vivaient en paix dans le culte du respect de la nature. Beaucoup d'hommoiseaux, une bonne quantité de Nagas et deux ou trois kelpies partageaient aussi leur temps sur cette île. Chez eux, les êtres humains n'étaient pas les bienvenus, car on les considérait comme une race inférieure dû au fait qu'ils n'étaient pas croisés avec des animaux. On se méfiait d'eux, sauf des béorites et des autres hommanimaux dont la forme pouvait varier. Ceux-là étaient reçus avec honneur et jouissaient même d'un statut particulier. En fait, ils étaient considérés comme des créatures parfaites, des chefs-d'œuvre de la nature.

Sur l'île Blanche, on ne pratiquait que deux activités, la méditation et la beuverie. L'interdiction de boire ou de manger pendant le jour renforçait le grand principe d'élévation spirituelle qu'était la contemplation, mais dès que la lune montrait ses premiers rayons, le vin commençait à couler à flots. Chaque soir était célébré par un banquet où tous les druides mangeaient et buvaient à s'en faire vomir. On y dansait et chantait une partie de la nuit avant d'aller perdre conscience quelque part sous un pommier de l'île. Puis, au lever du jour, les habitants allaient se laver, se purifier et remettre des vêtements blancs pour recommencer la fête la nuit suivante. Dans ce culte druidique, les fidèles agissaient comme des êtres spirituellement avancés le jour et comme des bêtes la nuit. Un rituel qui respectait parfaitement leur double nature.

Mais ce qui intéressait davantage Léviathan sur cette île était la série de dolmens plantés là. Depuis la nuit des temps, sept monuments mégalithiques, placés l'un à la suite de l'autre, formaient une gigantesque porte donnant directement accès au monde divin des Champs Élysées. Il suffisait de les toucher dans un ordre particulier, un dolmen après l'autre, en suivant un rythme constant pour atteindre le plan d'existence des dieux positifs.

– Jamais un démon n'a traversé ce portail, murmura Léviathan en pleine lecture, et encore moins posé le pied sur l'île Blanche, mais je ne suis pas inquiète.

– Tu crois que nous y arriverons sans trop de mal ?, demanda Béhémoth que l'aventure semblait grandement inquiéter. Tu vois, mon amour, nous ne sommes pas de ces pays célestes et de ces plans d'existence bien comme il faut et, comment dire… eh bien, nous risquons de nous faire chasser de l'île Blanche dès que nous y poserons le pied ! À moins que j'y fasse le ménage !

– Sur cette île, nous serons accueillis à bras ouverts !, le rassura Léviathan. Ta tête de bison et ma gueule de requin seront un gage de confiance envers nous. Ils nous croiront venus d'une terre lointaine et accepteront notre présence sans poser de questions. Le plus difficile sera d'emprunter le passage vers les Champs Élysées sans attirer leur attention. Après tout, ce sont les gardiens de cette porte ! On n'entre pas chez les dieux comme dans un moulin.

– Nous pourrions les empoisonner pendant l'un de leurs banquets nocturnes !, proposa Béhémoth. Au matin, ils seront tous morts ! À nous le passage !

– Non, nous devons être plus fins, mon beau guerrier, et trouver une façon de passer sans nous faire remarquer. Je ne veux pas me mettre les dieux à dos, car nous avons une énorme récompense à négocier à la livraison de notre colis. Si nous assassinons leurs gardiens, je ne crois pas qu'ils nous recevront à bras ouverts ! Il faudra être plus subtils et plus fins.

– Dans mon cas, ma tendre moitié, ce ne sera pas facile ! Je suis plus du genre à massacrer qu'à respecter la vie.

– Et c'est précisément ce qui te rend aussi attirant, espèce de grosse vermine ! Cependant, mon doux sauvage, il te faudra apprendre la patience, mais surtout, toujours me consulter avant de commettre un meurtre, d'accord ?

– Oui…, j'essaierai d'y penser. Et qu'allons-nous faire de lui ?, demanda Béhémoth en pointant Amos.

– Nous n'avons qu'à leur faire croire qu'il est notre serviteur humain, mais que pour l'instant, il est très malade et a besoin de repos, suggéra Léviathan. Les druides n'y verront que du feu !

– Et comment nous rendrons-nous à l'île Blanche ?, demanda Béhémoth. Si nous devons y aller à pied, nous voyagerons au moins pendant deux saisons ! C'est terriblement ennuyant de courir comme un lièvre à travers le continent !

– Ne t'en fais pas, le rassura sa douce moitié, je crois bien que les harpies nous transporteront jusque-là, n'est-ce pas Anx ?

Anx la Noire se contenta de hocher la tête en guise de réponse. Léviathan était assise sur son dos et lui tordait le cou avec l'un de ses tentacules. Pour avoir la paix et se débarrasser de ces deux intrus, la harpie aurait accepté n'importe quoi. La pauvre n'avait pas mangé depuis trois jours et semblait bien irritée de servir de banc à Léviathan. Et puis la souveraine n'était pas en position de négocier quoi que ce soit en sa faveur. Qu'elle fût encore en vie était un cadeau inespéré !

– Tu ne vois pas de problème si j'emporte quelques grimoires de votre collection, chère Anx ?, lui demanda Léviathan en l'étranglant un peu plus. Et cette boule de cristal ! Elle remplacera très bien mon ancienne !

Léviathan pouvait bien prendre tout ce qu'elle désirait, de toute façon la reine ne comprenait rien à la magie.

– Alors très bien, chère souveraine !, se réjouit Léviathan. Vous demanderez à vos sœurs de confectionner deux immenses paniers dans lesquels nous prendrons place. Ensuite, nous volerons ensemble jusqu'à l'île Blanche, d'accord ?

Anx la Noire, toujours aussi contrainte, opina du chef. La reine allait exécuter tous les désirs des démons, mais elle n'avait pas dit son dernier mot. D'ailleurs, elle n'en avait pas encore prononcé un seul !

## Chapitre 13

# Herne le chasseur

Debout devant la grande porte des enfers, ils étaient prêts à pénétrer dans le monde des ténèbres.

– Quand il faut, il faut !, lança Mordoc déjà très impressionné par l'odeur émanant de l'entrebâillement.

Il avait été décidé que le cortège serait constitué de Lolya-Aylol à l'avant du groupe, suivie de près par Médousa. Ensuite viendraient Bois d'Orme, If de Brise et Nellas, les trois archers. Béorf, attelé à une charrette où s'entassaient pêle-mêle le matériel et les provisions pour le voyage, suivrait ensuite. Fermant la marche, Mordoc de Mordonnie et Alior aux Dents rouges.

– Il est encore temps de changer d'idée, continua Mordoc, après tout, seuls les fous ne changent jamais d'idée ! Il faut que ceux qui ne se sentent pas très à l'aise avec l'idée d'affronter des démons puissent s'exprimer librement ! Bon… c'est ce que j'avais à dire, et c'est tout ! Je ne reviendrai pas sur le sujet ! Pas de regrets, personne ? Excellent ! Moi non plus ! Parfait !

– Avant d'entrer, buvez cela, proposa Lolya en présentant une fiole à chacun. Il s'agit d'un élixir de mauvaise foi.

Habitués d'obéir sans poser de questions, les trois archers s'exécutèrent. Ils esquissèrent par la suite une expression de dégoût si forte que les autres membres de l'expédition se regardèrent avec suspicion.

– Oui, je sais, c'est très mauvais au goût, continua Lolya, mais il est très important de la boire. Cette potion donne des vibrations négatives à votre aura. Elle aidera à éviter de nous faire repérer trop facilement. Sans ce breuvage, les démons nous détecteront aussi facilement que des flammes ardentes dans une nuit sans lune. Il faut absolument la boire d'un coup, en entier !

– Mais toi, jeune nécromancienne, demanda Alior, tu n'en bois pas ? Je vois que tu n'as pas prévu de fiole pour toi !

– Moi, comme vous le savez déjà, expliqua Lolya, je suis possédée par un démon. Je n'en ai pas besoin, car j'ai déjà une créature de très mauvaise foi qui m'habite. Médousa aussi peut s'en passer, elle est par définition un monstre des ténèbres et appartient au monde de l'obscur.

– Pour la première fois, j'ai un avantage à être une gorgone ! Dans mon cas, c'est plutôt rare !

– Allez, buvez vite !, insista Lolya.

Béorf, Alior et Mordoc s'exécutèrent de concert et firent à leur tour une expression de répulsion bien convaincante.

– C'est aussi mauvais que la nourriture de ma mère !, s'exclama Mordoc.

– Tu devrais goûter les plats de ma femme, une infection !, ajouta Alior en s'assurant qu'il n'y avait pas de cours d'eau près de lui. Les sirènes mangent souvent le poisson cru et bien pourri ! Mais je dois avouer que ce petit breuvage surpasse toutes les horreurs que j'ai pu goûter dans ma vie !

– Ta femme est une sirène !?, s'étonna Mordoc.

– Oui, je te raconterai comment le l'ai rencontrée...

– Je crois que nous sommes maintenant prêts à passer la porte, fit Lolya. En position !

– C'est pas trop tôt, bande de nuls !, ajouta Aylol impatiente de retrouver son maître. J'espère que vous serez à la hauteur ! Je n'ai pas envie de voyager avec une troupe de pleurnichards !

– Alors, allons-y !, lança Béorf en tirant sur la charrette. La grande aventure nous attend !

Sous les regards attentifs des chevaliers de Berrion et de Maelström, l'équipe se glissa par l'entrebâillement de la porte et pénétra dans le grand hall de l'entrée. Après avoir encaissé l'odeur de putréfaction, ils allumèrent torches et lampes à huile.

– La lumière nous fera sûrement repérer, fit Mordoc. Je ne sais pas si c'est une très bonne idée !

– Il n'y a que Médousa qui voit dans le noir, lui répondit Lolya. Sans la lumière de ces feux, nous n'irons pas loin !

– Encore un avantage pour la gorgone !, se réjouit Médousa. Décidément, c'est vraiment ma journée !

Grâce aux flammes des torches et des lampes, les voyageurs purent découvrir l'ancien poste de garde, l'armurerie des démons protecteurs de la porte, puis les bâtiments servant à accueillir les troupes. L'endroit ressemblait à un petit village où quelques milliers de soldats auraient pu très bien vivre.

– Je n'aurais pas aimé combattre ici !, lança Alior impressionné. Les créatures qui protégeaient cette porte étaient rudement bien équipées ! Regardez ces armures au sol et ces hallebardes qui rouillent, juste là ! Il y avait même une forge, que dis-je, deux !

– Pour ma part, je dis qu'il ne sert à rien de poster une armée là où personne n'a envie de se rendre !, commenta Mordoc. Entre vous et moi, quel peuple aurait pu être assez idiot pour déclarer la guerre aux troupes des enfers ?

– Les béorites du Valhalla l'ont fait, répondit Béorf non sans un brin de fierté. Enfin, c'est ce qu'Amos m'a déjà raconté !

– Amos, Amos, Amos !, grogna Aylol. Toujours ce nom ! C'est fatigant à la fin !

– Continuons !, proposa Lolya qui ne pouvait faire taire son démon. La route ne fait que commencer.

Le gigantesque hall menant à la chaussée des damnées dévoila sa magnificence. Deux fois plus haut que le plus grand des arbres, il était parsemé d'immenses colonnes de pierres où des statues de démons célèbres avaient été enchâssées. En son centre, une gigantesque représentation d'un dragon furieux dévorant des êtres humains faisait aussi grande impression.

– Je n'arrive pas à le croire…, fit soudainement Béorf. Ils sont là ! Ce sont eux !

– Qui ça ! ?, demanda Alior en tirant son épée de son fourreau.

– Béhémoth et Léviathan !, lança Béorf étonné.

– Mais veux-tu te taire, bougre de béorite !, se fâcha Alior. S'il s'agit bien d'eux, nous allons nous faire repérer !

– NON ! Ils ne sont pas là réellement, mais leur statue est ici ! Enchâssée dans une cavité de la colonne de pierres, juste là !

– Ouf !, fit Alior. Je croyais que… enfin, j'étais prêt à… bon, euh… désolé !

Béorf approcha une torche et chacun put admirer la laideur du couple de démons. L'un, avec sa tête de bison, et l'autre, souriant de sa gigantesque bouche de requin, formaient ensemble une paire de vilains monstres. Sculptés dans un même bloc, ils avaient l'air aussi indissociable que cruel et vicieux.

Sans se consulter, Béorf et Médousa s'avancèrent vers la statue et, d'un commun accord, la renversèrent sur le sol. Celle-ci explosa en mille miettes.

– Voilà qui soulage, n'est-ce pas, chère amie ?, dit Béorf en souriant. Que ceci leur serve d'avertissement !

– En effet, mon ami, je me propose de leur en offrir un nouveau dès qu'ils auront croisé mon regard !, répondit la gorgone satisfaite.

– Vous êtes stupides !, maugréa Aylol. Lorsqu'ils apprendront ce que vous venez de faire, ces démons vous déchireront comme des insectes.

– C'est bien ce que nous verrons !, répliqua Béorf en empoignant les montants de sa charrette. On continue !

Une fois le grand hall traversé, une porte d'arche menant à un couloir sombre s'enfonçant dans les entrailles de la terre se présenta à eux. Après avoir consciencieusement inspecté le mur afin de s'assurer qu'il n'y avait pas d'autre passage, ils se rassemblèrent pour établir un plan.

– Quelqu'un sait ce qu'il y a au bout de cette route, ou plutôt au bout de cette voie qui semble se perdre dans une froide obscurité ?, demanda Mordoc un peu nerveux.

– Je ne sais pas, répondit sèchement Aylol. Pour l'apprendre, il faudra certainement descendre !

– Mais…, s'étonna Mordoc, vous devriez le savoir, vous êtes notre guide !

– Moi, je connais le premier et le deuxième niveau des enfers, c'est tout !, répondit Aylol. Pour le reste, je m'en fiche ! Mais si vous voulez mon avis, c'est bien par là que nous devons aller.

– Trop sympathique !, maugréa Mordoc. Alors que faisons-nous ?

– Il n'y a pas encore de traces des démons que nous cherchons, fit remarquer Alior. Plus nous descendons, plus le risque de rencontrer des êtres maléfiques est grand. Pensez-y bien !

– Selon moi, il faut tenter le coup !, suggéra Béorf.

– Empruntons ce passage, l'appuya Médousa, nous verrons bien ce qui se trouve au bout !

– Ceux qui sont en faveur de cette proposition, levez la main !, demanda Alior.

Tous les membres de l'expédition appuyèrent immédiatement la proposition, sauf Mordoc qui hésita quelques secondes avant de se rallier.

La descente vers les enfers pouvait commencer.

Ce couloir, appelé la chaussée des damnés, était un large passage long d'une centaine de lieues, taillé en pente et s'enfonçant profondément dans une obscurité glauque. Richement décoré de motifs macabres représentant des humains hurlant sous la torture, ce passage vers l'autre monde était aussi orné d'arches en or massif où les têtes de démons grimaçants, de goules à grandes mâchoires et de satyres dans des positions plutôt offensantes faisaient office de décoration. La pierre des murs, noir de jais, absorbait la lumière des torches et des lampes si bien que Béorf dut en allumer en supplément.

– Regarde, Médousa, murmura le béorite à l'oreille de sa copine. Bien que les murs soient lisses et luisants, les flammes n'y font aucun reflet.

– J'ai même du mal à y voir tellement l'obscurité est opaque !, lui avoua Médousa. Cela me donne un sentiment d'oppression. J'ai l'impression que plus nous descendons, plus les murs se referment sur nous, pas toi ?

– Exactement !, lui confirma Béorf. Je ressens la même chose…

Derrière le groupe, Mordoc, intrigué par les murs et les arches décoratives, admirait les sculptures et les ornements.

– C'est de l'or !, s'exclama Mordoc en approchant sa torche d'une petite tête de diable. Toutes les arches qui composent les sections de ce passage sont en or massif ! Regardez, il suffit de gratter un peu pour voir luire le métal ! C'est extraordinaire ! On ne pourrait pas en prendre un peu ? Après tout, il serait dommage de laisser autant de richesse dans un endroit aussi sordide !

– Plus tard, mon cher !, lança Alior que l'or n'intéressait pas. Nous aurons tout le temps voulu lors de notre retour !

– Quand même…, murmura Mordoc en enfonçant une de ses dagues dans l'arche, ce serait dommage de laisser cette petite tête ici.

D'un bon coup de poignet, il détacha discrètement sa prise du mur, mais, à son grand étonnement, la tête de diable s'anima et commença à lui mordre l'intérieur de la main. Elle était vivante et semblait très contrariée ! Ne sachant trop quoi faire, il la reposa machinalement à sa place sur l'arche. La tête réintégra alors le mur et s'y fusionna dans sa position d'origine.

– Eh bien !, fit Mordoc stupéfait. C'est bien la première fois que je vois un ornement essayer de me mordre !

– Que fais-tu ?, demanda Alior à Mordoc qui traînait derrière lui. Nous devons rester groupés, alors bouge-toi ! Pas question de nous séparer, d'accord ?

– Oui, oui…, j'arrive !, lança-t-il en poussant un long soupir avant de ranger sa dague. Si toutes les richesses des enfers sont comme celle-ci, pensa-t-il en regardant la tête du petit diable, je reviendrai plus amoché et beaucoup moins riche que je l'avais envisagé !

Mordoc regagna sa position à côté d'Alior et marcha de longues heures derrière la charrette sans rien tenter d'imprudent. Il avait eu sa leçon.

– Ça bouge devant !, fit soudainement Aylol.

Aussitôt, les trois archers bandèrent leurs arcs et pointèrent leur flèche vers l'obscurité en cherchant une cible. Tel un lézard, Médousa grimpa au mur et prit position au plafond du couloir pendant que Béorf, toujours aussi prompt, se transforma en ours. Alior et Mordoc dégainèrent leurs armes.

Lolya fit signe au groupe de ne pas bouger, puis lança sa torche à plusieurs enjambées devant elle.

– Toi qui peux voir dans l'obscurité, Médousa, demanda-t-elle à son amie postée au-dessus de sa tête. Tu discernes quelque chose ?

– Oui, répondit la gorgone. Il y a beaucoup de mouvement devant nous… On dirait une meute de chiens… et puis je vois la silhouette d'un homme vêtu d'un grand manteau et d'un chapeau à large bord… Il… eh bien… il pointe une arbalète en ma… en ma direction. J'ai l'impression qu'il attend que je bouge pour me tirer dessus… alors, si vous n'y voyez pas d'inconvénient, je vais demeurer ici… bien immobile.

– Une meute silencieuse, murmura Nellas à Bois d'Orme et If de Brise. Et cette description…, pensez-vous à la même chose que moi ?

Les deux archers acquiescèrent.

– Je crois bien que je sais qui se trouve en avant de nous, dit Nellas à ses compagnons de voyage. Il s'agit peut-être d'Herne le chasseur.

– Herne le quoi ?, fit Mordoc.

– Herne le chasseur, répéta Nellas. Il s'agit d'un être maudit qui s'est pendu à un grand chêne de la forêt d'Herne, un bois enchanté qui se trouve très loin à l'ouest du bois de Tarkasis. Il se promène avec une meute de chiens silencieux et chasse pour le plaisir de tuer. Normalement, on le rencontre dans les forêts, je ne sais pas du tout ce qu'il peut faire ici.

– Et comment fait-on pour qu'il cesse de nous menacer de son arme ?, demanda Alior aux aguets.

– Il faut l'honorer d'un présent, répondit Nellas. Donnez-moi un bout de saucisson ou un morceau de jambon et j'en fais mon affaire. Herne n'est pas mauvais, il est égaré entre le monde des vivants et celui des morts. Dans le bois de Tarkasis, nous avons appris à ne pas en avoir peur.

– Non, pas question, je n'abandonnerai pas de provisions à ce chasseur perdu !, protesta Béorf. Ces provisions sont vitales à l'expédition et nous devons absolument les protéger de…

– Béorf !, fit Médousa bien immobile au plafond. Donne un bout de saucisse ! Allez, dépêche-toi ! Je te rappelle qu'il pointe son arme sur moi !

À contrecœur, Béorf glissa la main dans la charrette de victuailles et en ressortit une rosette de Myon, une spécialité du royaume des Quinze.

– C'est quand même dommage…, maugréa-t-il en la déposant entre les mains de Nellas. Perdre une aussi belle pièce auprès d'un type que l'on ne connaît même pas ! J'espère qu'il saura l'apprécier !

La jeune forestière demanda à ses deux acolytes archers de la couvrir, puis s'avança lentement dans les ténèbres du long couloir. Elle disparut bien vite dans la noirceur, ne laissant derrière elle qu'un long silence angoissant.

– Tu te rends compte, Médousa, une rosette de Myon complète, continua Béorf trop malheureux d'avoir perdu un si bon saucisson. Nous aurions pu essayer avec la moitié…

– Ferme-la, Béorf !, s'impatienta la gorgone. Je la vois… plus loin, dans le noir. Elle parle avec cet homme de haute taille qui porte aussi une longue cape et… des bois de chevreuil sur la tête ! Autour d'eux, il y a une vingtaine de chiens qui… mais ils… c'est bien cela, la meute est en train de manger ta rosette de Myon ! Je suis désolée, Béorf !

Béorf hocha la tête en signe de découragement.

– Nellas parle toujours avec lui et…, continua Médousa. Je crois bien qu'elle vient de conclure une entente puisqu'elle lui serre la main… La voilà qui revient. Comme il ne me pointe plus de son arbalète, je crois bien que je vais bouger un peu.

– Elle n'a pas froid aux yeux la petite!, fit Mordoc.

– Je suis bien d'accord avec toi, l'appuya Alior.

Nellas arriva bientôt près de ses compagnons.

– Tout va bien, fit-elle avec un large sourire, nous pouvons continuer notre chemin. Il s'agit bien d'Herne le chasseur comme je l'avais pressenti. Il est en ce moment sur la piste d'une proie et consent à nous laisser passer sans nous attaquer. Si je n'étais pas intervenue, il aurait tenté d'abattre Médousa. Comme il n'a jamais tué de gorgone, il aurait bien aimé rapporter sa tête en guise de trophée.

– Alors, tu as échangé ma vie contre une grosse saucisse, c'est ça!?, s'étonna Médousa. C'est un peu troublant de savoir que ma vie n'a tenu, pour quelques instants, qu'à un simple bout de viande.

– En quelque sorte, oui..., confirma Nellas. Tu l'avais bien vu, il avait bien son carreau d'arbalète braqué sur toi. Mais heureusement, Herne le chasseur est très généreux envers ceux qui nourrissent gratuitement ses chiens. C'est ainsi que j'ai pu négocier ta vie et assurer notre passage. Et puis, je lui ai montré mon talisman du bois de Tarkasis. Il craint les fées, car elles seules peuvent lui interdire de chasser dans une forêt.

– Alors Béorf, cette rosette de Myon aura quand même servi à quelque chose, non?, lança Médousa. Que préfères-tu maintenant, moi ou la rosette?

– Pour toi, belle gorgone, j'aurais pu lui offrir toute une cuisse de jambon en plus de la saucisse !, répondit Béorf en rigolant. Tu vois comme je t'aime !

– Tu es d'un romantisme fou, mon Béorf !, rigola la gorgone. Un véritable prince charmant !

Les voyageurs profitèrent du moment qu'ils étaient arrêtés pour prendre une pause et se restaurer.

– Selon Herne le chasseur, leur expliqua Nellas, nous sommes encore à plusieurs jours de marche du Styx, le grand fleuve de la mort. Une fois sur ses rives, nous pourrons le traverser à gué, car il est presque asséché à plusieurs endroits. Cela facilitera notre passage vers le premier niveau des enfers. Et puis… je lui ai demandé s'il n'avait pas vu deux démons emprunter ce passage. Il m'a répondu que nous sommes les seules créatures qu'il a rencontrées depuis plusieurs semaines de chasse… Nous suivons peut-être une mauvaise piste.

– Eh bien !, s'exclama Mordoc. Heureusement que nous avons cette petite avec nous, car ce n'est pas notre guide qui aurait pu nous en dire autant !

– Ah ! Tais-toi, petit voleur !, répondit Aylol. Je ne suis pas ici pour te plaire…

– Pardonnez-lui, continua Lolya. Elle est de mauvais poil… Je m'occupe de la calmer un peu.

Lolya s'écarta un peu du groupe et but de sa gourde une bonne rasade de sang. Aussitôt, Aylol se calma et la jeune nécromancienne regagna sa place auprès des voyageurs.

– Bon, nous avons une décision collective à prendre, fit Alior aux Dents rouges. Nellas nous informe que les démons que nous poursuivons ne sont pas passés par ici et qu'il s'agit peut-être d'une mauvaise piste. Jusqu'à présent, nous n'avons rencontré aucun obstacle majeur dans ce voyage et nous pouvons dès maintenant rebrousser chemin sans risquer davantage nos vies. Ici, il ne s'agit pas de courage, mais d'user d'intelligence afin d'atteindre notre but. Selon vous, sommes-nous sur la bonne voie ou non ?

La question valait la peine d'être débattue. Après tout, si Béhémoth et Léviathan n'étaient pas encore passés, rien ne servait de descendre plus profondément dans le monde des ténèbres. Il était peut-être temps de mettre fin à l'expédition.

– Moi, je crois que nous devrions poursuivre notre descente, répondit Béorf. Il serait un peu bête de se fier uniquement à une seule source d'information pour prendre une décision. Peut-être trouverons-nous, un peu plus loin, des preuves de leur passage ? Qui sait ? Je propose que nous avancions jusqu'à ce que la moitié de nos provisions soient entamées. Ensuite, nous aurons l'autre moitié pour revenir vers la sortie !

– Pfft !, fit la gorgone. Celui-là, toutes ses décisions dépendent de son estomac !

– En fait, ce n'est pas une mauvaise idée, approuva Lolya. Nous sommes toujours en santé et notre voyage se déroule très bien. Je crois bien que les enfers ne sont plus ce qu'ils étaient autrefois et que nous pouvons risquer de traverser le Styx, nous prendrons une décision plus éclairée ensuite.

– Très bien, fit Alior satisfait. Qui vote pour continuer l'expédition ?

Tous, sans exception, levèrent la main.

– Parfait !, s'exclama le chevalier. Dans ce cas, ne perdons pas de temps et remettons-nous en marche. Ce long couloir sans fin sera notre première épreuve d'endurance !

Chacun acquiesça à la demande d'Alior et l'expédition continua sa descente dans les abîmes de la terre, de plus en plus profondément dans les entrailles d'un monde sans lumière.

# Chapitre 14

# Un voyage qui tombe à l'eau

Pendant les longues journées de recherche de Béhémoth et de Léviathan dans le laboratoire d'Anx la Noire, les harpies avaient regagné l'île les unes après les autres afin de voir ce que mijotait leur reine avec les deux démons. Quelle ne fut pas leur surprise de constater qu'elle travaillait de concert avec eux afin de créer quelques potions ou sorts. Curieuses, mais interdites dans le laboratoire, les harpies ne se doutaient pas que leur souveraine, servant en réalité de siège à Léviathan, ne s'affairait pas du tout de la même façon que les démons. Elles imaginaient Anx dévoilant son savoir et partageant ses formules sous le regard éberlué de ses invités. Jamais leur souveraine ne recevait de visite et celle-ci interdisait violemment que l'on s'approche de son laboratoire. Qu'elle soit maintenant en compagnie d'étrangers dans son antre secret donnait au peuple des harpies un sujet de conversation inépuisable. Chacune y allant de ses prédictions, on attendait impatiemment sa sortie.

Voilà pourquoi personne ne s'étonna de voir Anx, bien amochée et terriblement fatiguée, sortir de son laboratoire en hurlant des ordres. La souveraine avait bien quelque chose de gros qui mijotait sur le feu. Sous peu, elle les informerait du plan diabolique visant à quoi ? Provoquer un désastre, débuter une guerre ou localiser un trésor ? Elle seule pouvait le savoir et les harpies la suivraient sans rechigner. Après tout, il n'y avait pas au monde une souveraine plus inspirée que la leur !

Voilà pourquoi les harpies se mirent toutes au travail lorsqu'Anx leur ordonna de tresser de larges paniers munis de longues tiges afin de transporter Béhémoth et Léviathan, ainsi que leur prisonnier humain, vers l'île Blanche. Ces nacelles, prévues pour être tirées dans les airs par le peuple entier, devraient être solidement construites afin qu'elles ne tombent pas en morceaux pendant le vol. Connaissant la qualité du travail des harpies et le peu de respect qu'elles avaient pour la rigueur et la précision, Léviathan se chargea d'inspecter les créations et d'en approuver la qualité. Quant à Béhémoth, il s'assura d'en assommer quelques-unes afin de bien les motiver au travail.

Lorsque tout fut en règle pour le départ, les démons prirent place chacun dans leur nacelle et les harpies empoignèrent solidement de leurs pattes de rapace les longues tiges les ceinturant.

Ils étaient fin prêts pour le décollage.

– Je crois que j'ai oublié quelque chose !, fit Léviathan avant de prendre les airs. J'ai les livres de la bibliothèque d'Anx, le corps d'Amos, nos armes, la boule de cristal… Non, tout est là, mais il me semble quand même avoir oublié de prévoir quelque chose…

Anx la Noire, curieusement trop docile et accommodante, demanda poliment à Léviathan si elle était prête pour s'envoler.

– Oui, oui…, répondit-elle finalement. Nous pouvons y aller !

Quelques instants plus tard, les deux nacelles volaient au rythme désordonné des battements d'ailes des harpies. Anx en profita pour s'approcher de Léviathan afin de lui expliquer qu'elle et ses compagnes devraient prendre plus de hauteur au-dessus de la mer afin d'éviter des bourrasques de vents susceptibles de les déstabiliser. Il n'y avait pas à s'inquiéter, car la manœuvre n'avait qu'un but, le confort des passagers.

– Elle est trop gentille, celle-là !, se méfia Léviathan. Surtout après ce que je lui ai fait vivre… Ce n'est pas normal ! Je suis convaincue qu'elle nous prépare un mauvais coup.

– Oh, chérie !, cria Béhémoth tout excité dans l'autre nacelle. C'est une excellente idée cette façon de voyager ! Nous devrions l'adopter plus souvent ! J'adore me laisser transporter sans faire le moindre effort !

– Dis-moi, mon beau guerrier, est-ce qu'Amos est toujours avec toi ?, lui demanda sa femme. Nos nouvelles amies ne l'auraient pas subtilisé, caché ou endommagé ?

– Il est toujours là, en parfait état, et toujours inconscient !, répondit Béhémoth. Ce matin, lorsqu'il s'est réveillé, je lui ai brisé le cou ! Il ne bougera plus avant notre arrivée à l'île Blanche ! En fait, combien d'heures de vol devons-nous faire avant d'arriver à destination ?

– Je ne sais pas, il faudrait demander à Anx la Noire. Attends, je m'en charge !

Léviathan fit signe à Anx qui s'approcha immédiatement.

– Nous sommes à combien d'heures de vol ?, demanda Léviathan.

Anx sourit. La reine des harpies lui répondit qu'en fin de journée, ils auraient sans doute atteint leur objectif. Elle précisa aussi qu'il y aurait deux parties au voyage. Une moins rapide et l'autre beaucoup plus vite. Le temps perdu dans la première partie serait vite repris dans la seconde.

– Je ne comprends pas !, s'impatienta Léviathan. C'est à cause des vents que nous serons retardés ? J'aimerais avoir plus d'explications…

Anx lui répondit gentiment que les vents n'avaient rien à y voir. Le problème, c'était plutôt les nacelles.

– Les nacelles…, pensa Léviathan en se grattant la tête. Il doit certainement y avoir un malentendu…, cette stupide Anx ne doit pas avoir bien entendu ma question.

Léviathan se retourna vers la reine pour répéter sa question, mais vit dans l'œil de la harpie un éclair de satisfaction traverser son regard. Anx semblait trop calme et comblée pour lui faire confiance. Manifestement, il y avait anguille sous roche.

Puis, Léviathan déchiffra l'expression de la harpie. Elle se remémora la chose essentielle qu'elle avait oublié de vérifier avant leur départ et qu'Anx allait maintenant utiliser contre elle. Avant de prendre les airs, il lui fallait s'assurer que les tiges incorporées aux nacelles soient bien attachées aux pattes des harpies afin qu'elles ne puissent pas les larguer en plein vol.

À l'instant où cette pensée traversait l'esprit de Léviathan, Anx ordonna à ses harpies de relâcher les nacelles dans le vide.

– Tu auras de mes nouvelles !, cria Léviathan avant de tomber tel un boulet vers la mer. Tu me le paieras, sale oiseau de malheuuuuuur !

Béhémoth, lui aussi en chute libre, oublia de retenir le corps de son prisonnier. Plus habiles dans les airs que sur terre, trois harpies planèrent vers Amos et le récupérèrent en pleine chute. Le démon essaya tant bien que mal de battre des bras pour les rejoindre, mais il était beaucoup trop lourd pour voler et manquait cruellement de plumes afin de planer.

Très loin sous le groupe des harpies hilares, Béhémoth et Léviathan frappèrent la surface de l'eau avec violence et disparurent entre les vagues.

L'histoire de la condamnation d'Amos Daragon et de la forte récompense promise pour son incarcération n'était pas tombée dans l'oreille d'une sourde. Anx la Noire avait tout entendu des conversations entre Léviathan et Béhémoth et savait maintenant qu'elle pourrait tirer un bon prix du prisonnier qu'elle portait à l'île Blanche. Si elle le reconduisait en prison, les dieux lui accorderaient sans doute un vœu de toute-puissance.

Ainsi, Anx pourrait devenir une reine incroyablement redoutable et son peuple, de solides guerrières capables de lancer de formidables attaques sur les royaumes des faunes, puis ensuite des humains. Elle se lancerait dans une guerre à finir pour la conquête du continent et établirait enfin l'Empire des harpies sur terre. Avec le prisonnier qu'elle détenait, Anx croyait pouvoir négocier directement avec les dieux pour ensuite mettre le monde à ses pieds.

Il ne lui restait plus maintenant qu'à passer le portail de l'île Blanche afin de se rendre à la prison des Champs Élysées. Il y aurait bien quelques druides à massacrer, mais ce n'était pour elle qu'un simple détail. La promesse de vengeance de Léviathan lui trottait aussi dans la tête, mais cette pensée l'indisposait plus qu'elle ne lui fît réellement peur. Une fois bénie des dieux, Anx ne craindrait plus rien, pas même les démons venus d'un autre monde!

C'est ainsi que les fières harpies mirent le cap sur les terres du roi Wassili et qu'elles volèrent, bien au-dessus des nuages, pour éviter que les humains ne les repèrent. Amos entre leurs serres, les troupes d'Anx la Noire voyagèrent à toute vitesse afin d'atteindre l'île Blanche avant la tombée de la nuit.

Épuisées par l'effort soutenu, elles y arrivèrent enfin au crépuscule, mais décidèrent de se poser non pas sur l'île Blanche, mais sur la rive du continent, tout juste devant. De cette position, elles n'auraient qu'à faire un saut de puce pour reconduire Amos le lendemain. Avant d'affronter les druides, elles devaient avoir récupéré un peu de leur force.

C'est ainsi qu'Anx la Noire et ses compagnes fermèrent les yeux pour la nuit en rêvant à leur glorieux avenir.

Mais ce n'est pas une harpie qui, une fois la nuit passée, ouvrit l'œil en premier.

L'envoûtement d'immortalité qu'avait reçu Amos agissait toujours et c'est lui qui se réveilla juste avant l'aube.

– Mais… mais, où suis-je?, se demanda-t-il en constatant sa fâcheuse position.

Partout autour de lui sommeillaient une bonne centaine de harpies. Sur les branches des arbres, couchées à même le sol ou agglutinées en groupe, il y en avait partout.

– Me voilà à peine sorti d'un cauchemar que je me retrouve dans un autre… Bon, il me faudra du doigté et de la délicatesse si je veux fuir sans attirer leur attention. Heureusement, elles ronflent toutes encore…

Sans faire de bruit, Amos se leva puis marcha sur la pointe des pieds jusqu'à la rive. Face à lui, une île toute blanche qui semblait irréelle attira son attention.

– Je suis peut-être à cinq ou six cents brasses de là, pensa-t-il. Si je réussis à m'y rendre sans me faire remarquer, je pourrai facilement m'y cacher. Je dois faire l'effort même si je n'en ai pas très envie. Bon, un peu de courage.

Amos se glissa dans l'eau sans faire de clapotis et nagea en silence jusqu'à ce qu'il soit à mi-chemin de la berge. Il accéléra ensuite la cadence, puis posa enfin le pied sur l'île Blanche. Bien caché sous l'abondant feuillage d'un arbre, il observa le réveil de ses ravisseuses et la panique qui s'en suivit. Sous les ordres de leur reine, les harpies commencèrent à chercher sur la rive, puis dans la forêt autour jusqu'à ce que l'une d'entre elles trouve enfin des traces de pas menant vers l'eau.

Tout de suite, la reine déclara qu'Amos avait certainement marché dans le liquide pour camoufler ses pistes et divisa ses harpies en deux groupes afin d'accélérer les recherches. Un groupe parti vers le nord, l'autre vers le sud.

– Heureusement, elles sont trop bêtes pour envisager que j'aie pu nager jusqu'ici…, se dit Amos en poussant un soupir de soulagement. Mais comment ai-je bien pu me retrouver entre leurs mains ? Je ne me souviens plus de rien… si que… mais oui, j'étais avec Hermine et… ah oui, c'est affreux… Béhémoth et Léviathan l'ont tuée.

Amos eut une bouffée de chagrin pour Hermine puis ressentit un accablement si grand qu'il ne pensa même pas à trouver refuge plus loin sur l'île. Amos n'eut soudainement plus envie de sauver sa peau, plus envie de revenir à Berrion, plus du tout envie de vivre des aventures. Il n'eut qu'une seule idée, celle de ne plus bouger jusqu'à ce que la mort vienne le chercher.

Trop las, il ferma les yeux et sombra dans un profond sommeil. Il ne se réveilla qu'au moment où il sentit quelqu'un ou quelque chose s'emparer de lui. Même à ce moment où sa vie pouvait être menacée, il ne chercha pas à ouvrir les paupières pour voir qui pouvait être son ou ses ravisseurs. Les harpies étaient peut-être de retour, ou quelqu'un d'autre. Rien n'avait plus d'importance à ses yeux.

Lorsqu'il trouva enfin la force de retrouver ses esprits, Amos était dans une toute petite pièce blanche, habillé d'une tunique blanche, en face d'un drôle d'oiseau tout blanc de la taille d'une corneille qui l'observait attentivement. La bête avait la tête d'un aigle, un long cou et une queue de serpent, un plumage et des yeux d'albinos, mais ne semblait pas menaçante.

– Tiens…, un caladre!, s'étonna Amos qui avait lu quelques histoires sur cet étrange oiseau. Je suis donc chez des druides… Des druides qui jugent présentement de mon état de santé.

Amos savait que le caladre était utilisé par les druides sur des malades, car il avait apparemment la vertu de guérir toutes les maladies d'un seul coup d'œil. L'oiseau n'avait qu'à regarder une créature souffrante dans les yeux pour en absorber l'affection. Cette bête fantastique prenait sur elle les maux des souffrants afin de les libérer de leur mal. Mais pour que ce don de guérison fonctionne, il fallait aussi que le patient y croie.

– Vas-y…, lui dit Amos. Regarde-moi bien et tu verras toi-même que la maladie qui me ronge est incurable. Je suis dévoré par le désespoir et le désarroi… et tu ne pourras rien y faire. Il n'y a pas de remède pour cette affliction, sinon la mort. Et curieusement, mon cher caladre, je n'arrive même pas à accomplir cette tâche convenablement... Je n'arrive pas à mourir. Je ne comprends pas ce qu'il m'arrive...

L'oiseau observa attentivement Amos, puis détourna la tête. Par ce signe, il confirmait que sa maladie était incurable et qu'il ne pouvait rien y faire. Ici, le caladre ne pouvait endosser l'affliction d'Amos, car celle-ci était d'ordre moral et non physique.

– Tu vois bien..., ajouta Amos en s'adressant toujours à l'oiseau. J'ai tout perdu et il ne me reste plus aucune raison de vivre. Ma mission de porteur de masques est terminée, je n'ai plus de pouvoirs, plus de raison de me battre, mais surtout plus envie de continuer à défendre l'équilibre de ce monde. D'ailleurs, ce continent se portera mieux sans moi. Les dieux m'ont condamné..., les dieux se sont vengés..., les dieux ont gagné. Vive les dieux ! Alors, va-t-en, petit caladre, je suis incurable !

Sur ces mots l'oiseau s'envola et disparut par un conduit d'aération situé dans le plafond de la pièce. Amos, prostré sur un lit de bois inconfortable, demeura de longues heures les yeux mi-clos, son esprit vagabondant d'une idée à l'autre sans jamais se fixer sur une pensée précise. Patient, il attendait que les druides qui avaient envoyé le caladre se manifestent et décident de son sort. Trop faible pour bouger, il ne se rendit même pas compte que la porte de la pièce où il se trouvait n'était pas fermée à clé. En tout temps, Amos aurait pu fuir.

Après de longues heures d'attente, un minotaure vêtu d'une longue tunique blanche entra dans la pièce. Il portait une chaise de bois qu'il installa devant Amos avant d'y prendre place.

– Respect à toi, porteur de masques, lui dit-il en observant sa réaction. Tu viens de loin, de très loin pour venir mourir sur cette île. Puis-je, avec respect, te demander pourquoi ?

Amos se contenta de hausser les épaules en soupirant. Il n'avait même plus la force, ni l'envie, d'expliquer ce qu'il lui était arrivé.

– Sauf ton respect, ton âme semble dans un très mauvais état, continua le druide minotaure. Es-tu venu avec ces harpies que nous avons chassées de notre île ?

– Oui..., fit-il enfin, je crois bien que ce sont ces créatures qui m'ont transporté jusqu'ici. Je n'en sais pas plus.

– Tu as perdu la mémoire, sauf respect ?

– Non... j'ai perdu l'envie de vivre. Je veux disparaître et ne plus exister...

– Avec respect, ta volonté sera faite, porteur de masques, car ils viendront bientôt te chercher afin de te reconduire dans les Champs Élysée, à la prison des dieux de la lumière. Tu disparaîtras du monde des vivants à jamais. Est-ce bien cela, avec respect, que tu désires ?

– Oui, c'est ce que je désire...

– Avec grand respect, porteur de masques, tu as été condamné à la prison du Tartare, mais il semble qu'il soit maintenant impossible de t'y reconduire. Les dieux des mondes positifs acceptent de te recevoir dans leurs geôles, ce qui, pour toi, sera un grand avantage. Dans les Champs Élysées, on ne torture pas !

– Ça m'est égal, répondit Amos, je suis déjà en enfer.

– Ton âme souffre et ne peut plus sortir de ton corps, expliqua le minotaure. Elle ne connaîtra jamais la libération !

– Comme celle de Lolya, murmura Amos. Comme celle d'Hermine aussi… Comme celle d'Aélig…, de Koutoubia et de tous ceux qui ont cru en moi au cours de mes aventures et qui sont morts par ma faute. Les braves, ce sont eux… Moi, je ne suis qu'une raclure de héros…, un imposteur.

– Ils viendront te chercher demain, grand respect à toi, conclut le minotaure en se levant de sa chaise. Tu peux sortir, il y a à boire et à manger dans la grande salle commune. Adieu et respect.

– Merci… Adieu, soupira Amos avant de fermer les yeux.

## Chapitre 15

# Les goules

Un son, comme un tremblement de terre lointain, parvint aux oreilles de Médousa qui l'entendit en premier.

– Que personne ne bouge !, fit-elle. J'entends quelque chose… On dirait des chevaux au galop…, des pas, une grande quantité de pas !

– Moi, je n'entends rien du tout !, répondit Béorf. Tu es certaine que tes oreilles ne te jouent pas un tour ? Moi aussi, j'ai une grande acuité auditive et je…, mais oui…, tu as raison, je les entends maintenant ! Ça vient d'en avant de nous…

– Oui, le piétinement arrive des ténèbres, ajouta Médousa. Pour l'instant, je ne vois pas ce que cela peut bien être.

– Concentre-toi, ma belle Médousa, nous avons besoin de savoir le plus rapidement possible !

– LÀ !, s'exclama Médousa.

Dans le passage menant au Styx, la gorgone vit s'approcher une horde de petites créatures aux yeux rouges, aux longues dents et aux griffes acérées. Ils étaient des centaines, bougeaient rapidement à quatre pattes et pouvaient même s'agripper aux murs. Déferlant dans le couloir comme une vague, ils seraient bientôt sur eux.

– TOUS EN POSITION DE DÉFENSE, hurla la gorgone. Nous serons bientôt attaqués ! Ils sont des centaines, peut-être même des milliers !

– Des milliers de quoi ?, demanda Béorf qui commençait, tout comme ses compagnons, à sentir les murs du couloir trembler. Il faut savoir !

– Je ne sais pas, lui répondit Médousa, mais ils n'ont pas l'air commode ! Ce sont de petites créatures bien enragées !

– Voici le plan pour bien assurer notre défense !, s'empressa de lancer Alior aux Dents rouges. Béorf se placera en première ligne, en avant du groupe et, tout juste derrière lui, Médousa afin de le seconder ! Béorf, ta tâche sera de protéger ta copine en lui offrant l'espace nécessaire pour qu'elle transforme en pierre le plus de créatures possible. Ensuite, tu construiras rapidement un rempart de statues et de corps ! Les trois archers te couvriront de l'arrière pendant que Mordoc et moi les protégerons pour qu'ils ne soient pas inquiétés. Pendant ce temps, Lolya sera derrière tout le monde, à l'abri sous la charrette, et nous concoctera un sort afin de nous débarrasser de ces créatures ! EN POSITION !

Sans rechigner, tous les membres du groupe s'installèrent exactement comme l'avait ordonné Alior. Béorf se transforma en ours et Médousa bondit derrière lui en retirant ses lurinettes.

– Béorf !, l'avertit-elle, en aucun cas tu ne te retournes vers moi ! Je ne voudrais pas te transformer en statue par accident.

– C'est pourtant ainsi que notre histoire a commencé, lui rappela-t-il. Tu as toujours été une fille… pétrifiante de beauté !

– Merci pour le compliment, gros charmeur, mais concentre-toi plutôt sur ce qui arrive, les créatures ne sont plus très loin ! Tu me chanteras la pomme une fois la menace passée ! Quoique, un petit compliment par-ci par-là, c'est toujours plaisant !

Bois d'Orme, If de Brise et Nellas se disposèrent à une dizaine de pas derrière Béorf et Médousa afin de se donner l'espace nécessaire pour tirer à volonté.

– Nous tirons à deux flèches ?, s'enquit Bois d'Orme à Nellas. S'ils sont aussi nombreux que la gorgone le dit, ce sera un minimum…

– Oui, répondit-elle, nous trois ensemble, nous enverrons une volée de six flèches à toutes les deux respirations. Une courte inspiration pour encocher la flèche et viser, une seconde pour décocher. Nous devons maintenir le rythme sans défaillir. Et interdiction de manquer une cible, d'accord ?

– Tirons dans les têtes !, proposa If de Brise. Ainsi, nous aurons un mort pour chaque flèche. Vu le nombre d'ennemis, nous ne devons par faire de blessés. Ce sera une flèche, un cadavre !

– Bonne idée !, fit Nellas. En position, maintenant !

Juste devant les archers, Alior et Mordoc parlaient aussi de stratégie.

– Notre boulot sera de sécuriser la zone entre Béorf et Médousa, d'une part, et les archers d'autre part !, dit Alior en dégainant sa grande épée.

– Si je comprends bien, s'enquit Mordoc, nous devrons contenir tout débordement afin de protéger leurs arrières, c'est cela ?

– Exactement !, répondit Alior. Personne ne doit passer, même si le couloir est large ! Si nous voyons que le béorite et la gorgone sont pris à revers, il nous faudra foncer dans le tas !

– Oui…, fit Mordoc que l'idée de foncer dans le tas rebutait un peu. Je serai prêt !

Un silence rempli d'anxiété tomba ensuite sur les membres de l'expédition. Béorf prit quelques grandes respirations pour se décontracter pendant que Médousa, les yeux fixés sur les ténèbres, scrutait l'obscurité. Les trois archers encochèrent leurs flèches, bandèrent leur arc et se mirent en place. Alior eut une pensée pour sa femme ainsi qu'une soudaine envie de bière fraîche. Mordoc eut une pensée pour lui-même et une soudaine envie de prendre ses jambes à son cou ! Finalement, Lolya ouvrit ses grimoires et approcha une lampe.

L'attaque pouvait maintenant avoir lieu.

Après un moment où le vacarme s'intensifiait de seconde en seconde, Médousa eut enfin une vision claire de la menace qui se présentait.

– Je les vois ! Ce sont de petits êtres, plus petits que des bonnets-rouges… euh, ils possèdent de grandes gueules, des yeux qui réfléchissent la lumière et ne sont pas armés, ils ne portent pas d'armures non plus. Leurs mains sont disproportionnées et leurs griffes, bien longues et pointues !

– DES GOULES !, hurla Lolya. Ce sont des goules ! Il s'agit d'une horde en furie !

Dans la clameur de leur arrivée, les monstres allaient bientôt être visibles à tous.

Aussitôt l'ennemi identifié, Lolya ouvrit le livre de la sorcière Baya Gaya et y jeta un rapide coup d'œil.

– Les goules sont des démons femelles qui hantent les cimetières et se repaissent des corps de cadavres, se remémora-t-elle. Elles ont été créées par le grand démon Iblis… Euh… vite que je me rappelle ! Oui, c'est bien ça, elles sont d'une force spectaculaire, mais possèdent un point faible…

– Personne ne survivra à cette attaque, ma pauvre Lolya…, rigola Aylol. Béorf est puissant, mais il faiblira rapidement. C'est lui d'ailleurs qui mourra en premier !

– Ferme-la !, se fâcha Lolya, j'ai besoin de concentration…

– Alors, tu sais ce que tu as à faire ! Il faut nourrir le monstre ! Donne-moi à boire, je meurs de soif !

Sans hésiter, Lolya s'empara de la bouteille de sang et en avala deux bonnes gorgées. Une nouvelle énergie envahit son corps et son esprit.

– Ça y est !, s'exclama Lolya. Le feu, oui ! Les goules ne supportent pas le feu ! Je sais ce que je dois faire !

– Mais quelle boisson, le sang humain, non ? !, s'amusa Aylol. Allez, ma petite, lance ton sort et j'y inclurai un peu de ma puissance ! J'ai soudainement envie d'être utile ! Profitons-en, c'est plutôt rare.

Pendant que Lolya plongeait les yeux dans son grimoire, la bataille commença.

Béorf, la gueule et les griffes ensanglantées, dut d'abord reculer de quelques pas face à la force physique des goules. Ces créatures aux pieds fourchus et dont la figure était recouverte d'une gelée grisâtre fonçaient sur lui avec une détermination de fer. Encore qu'un bon nombre tombaient en statue de pierre ou se voyaient transpercer d'une flèche entre les yeux, celles qui réussissaient à se frayer un chemin le frappaient avec une violence hors du commun. À peine avait-il commencé à se battre qu'il avait un œil amoché et une oreille déchirée. Pour lui venir en aide, Alior et Mordoc foncèrent sans plus attendre pour se battre à ses côtés.

– Un rempart !, cria Alior, il faut faire un rempart avec les corps et les statues ! C'est impératif ! ! !

– Je n'y arrive pas !, s'exclama Béorf. J'en ai déjà plein les bras !

– Ça va trop vite !, ajouta Médousa, il y en a trop !

Malgré leur talent, Bois d'Orme, If de Brise et Nellas n'arrivaient pas non plus à soutenir le rythme. Malgré les goules qu'ils touchaient à chacun de leur tir, la vague déferlante des petits monstres se faisait trop rapide.

– On accélère les tirs !, ordonna Nellas dans le feu de l'action. Nous devons être deux fois plus rapides !

– D'accord, fit Bois d'Orme, mais nous perdrons de la précision et risquerons de blesser l'un des nôtres !

– Tant pis !, fit Nellas. Nous devons prendre le risque. Si nous gardons notre cadence de départ, nous serons vite débordés !

Les trois archers redoublèrent alors d'ardeur. Autour de la tête des combattants, les flèches volaient maintenant comme des insectes.

Mordoc de Mordonnie, qui se battait d'une main à l'épée longue et de l'autre à la dague, eut soudainement une brillante idée. Il cessa brusquement le combat et se dirigea vers l'une des arches où étaient sculptés les démons d'or. Il en détacha rapidement une bonne dizaine et les lança de toutes ses forces en direction des goules.

D'emblée, les ornementations s'animèrent et commencèrent à mordre de façon chaotique et violente tout ce qui bougeait autour d'eux. Mordoc, content du résultat, poursuivit son travail. Les goules, apeurées par ces petits êtres dorés qui pleuvaient sur eux, commencèrent à ralentir leur progression.

– Nous gagnons peu à peu !, cria de joie Alior. Courage, tenons bien la position et les goules fuiront !

– À TERRE !, hurla soudainement la voix de Lolya. TOUT LE MONDE, FACE CONTRE TERRE, TOUT DE SUITE !

Béorf, Médousa et Alior eurent un instant d'hésitation. Ils ne pouvaient pas abandonner ainsi le combat et se donner en pâture aux goules.

– Pas question !, répondit fermement Alior. Je ne déposerai pas les armes !

Un vent chaud provenant de l'arrière du couloir vint soudainement caresser la nuque des combattants. Mordoc et les archers s'élancèrent tout de suite au sol.

– On dirait le souffle de Maelström !, lança Béorf nerveusement à Médousa.

– Si c'est lui, vaut mieux se coucher tout de suite !, répondit la gorgone.

– Pas le temps d'expliquer à Alior !, conclut Béorf en bondissant sur le chevalier pour le mettre à terre.

Au même moment, une colonne de feu déferla dans le couloir et carbonisa les goules.

Sous les flammes, Béorf rampa jusqu'à Médousa pour la recouvrir de son corps. Il savait que, de par sa nature, la gorgone résistait moins bien à la chaleur qu'au froid. Aussi soudainement qu'elle était apparue, la flamme s'arrêta net.

Le silence retrouva sa place dans le passage.

Une forte odeur de viande grillée envahit les lieux.

Les ennemis étaient vaincus !

– Tu crois que c'était notre dragon ?, murmura Béorf à l'oreille de sa copine. Pourtant, il avait été convenu qu'il resterait à la porte des enfers pour seconder les armées !

– Je ne sais pas ce que c'était, mais j'avoue que ce coup de main était bienvenu !, soupira Médousa à bout de souffle. Elles étaient… comment dire ?

– Coriaces !, précisa le béorite lui aussi essoufflé. Tiens, tes lurinettes sont ici…

– Merci, répondit la gorgone. Je les replace tout de suite, un accident est si vite arrivé !

– AAAAAH !, hurla soudainement Alior qui dansait comme s'il avait des charbons ardents sous les pieds. AIDEZ-MOI QUELQU'UN ! JE DOIS RETIRER CETTE ARMURE ! ÇA BRÛLE !

– Normal !, rigola Mordoc. Le métal est rougeoyant !

– C'EST CHAUD !, cria encore Alior paniqué, C'EST TROP CHAUD !

Mordoc saisit alors un tonneau de bière dans la charrette et le lui brisa sur le corps. Le liquide refroidit l'armure du chevalier non sans s'évaporer en crépitant dans une buée bien dense. Soulagé, Alior tomba aussitôt à genoux en remerciant son sauveur.

– Merci Mordoc…, fit-il, je me sentais comme un homard prisonnier de sa carapace ! Encore un peu et je me retrouvais cuit !

– À point, je dirais…, le taquina Mordoc.

– Mais d'où pouvait bien provenir cette flamme de l'enfer ?, s'interrogea Alior.

Timide, Lolya s'avança.

– Euh… ce n'était pas de l'enfer, c'était de moi !, dit-elle. Il s'agissait d'un sort de souffle de dragon augmenté par la puissance d'Aylol. J'en ai déjà réussi, mais comme celui-là, eh bien, jamais… Un peu plus et je vous grillais tous ! Heureusement, je me suis placée devant notre charrette de provisions, sinon elle y passait !

– La prochaine fois, demanda Béorf, si on pouvait être informés un peu plus tôt, ce serait bien !

– Oui…, je comprends, répondit Lolya. Désolée, je…

– Ne t'excuse pas, Lolya, car nous te devons la vie sur ce coup-là !, intervint la gorgone. Je ne crois pas que nous aurions réussi à vaincre cette horde sans toi !

Suite à ce compliment, tout le groupe félicita Lolya et Béorf décréta la pause. Ce à quoi l'équipe consentit avec un grand plaisir. Il fallait bien se sustenter et le moment semblait bien choisi pour le faire. Et puis il y avait aussi une victoire à célébrer !

– Je lève mon verre à une éclatante équipe de vaillants combattants !, clama Alior encore tout dégoulinant de bière. Que la suite de nos aventures soit aussi glorieuse !

Chacun trinqua à la réussite de la mission, puis Béorf distribua la nourriture.

Croquant une pomme, Mordoc se rendit par curiosité à l'arche d'où il avait arraché les ornementations de petits diables pour constater que celles-ci avaient toutes retrouvé leur place sur le mur. Toujours aussi laids, les diablotins dorés ne bougeaient plus.

Mordoc détacha alors un morceau de pomme, puis l'avança tout près de la bouche d'un de ces petits cornus. Tout en déposant la portion du fruit dans sa bouche, il dit à la blague :

– Merci petit ! Tu nous as bien aidés ! Prends, c'est ta récompense !

Contre toute attente, l'ornement bougea lentement les bras, attrapa le morceau de pomme et commença à le manger goulûment. Stupéfait,

Mordoc attendit qu'il avale tout, puis lui tendit alors le reste de la pomme.

– Elle est toute à toi si tu le désires ! Tu le mérites bien, petit !

Sur ces mots, le petit démon attrapa le fruit et le dévora en entier. Il exhiba ensuite un long sourire de contentement avant de pousser un rot bien sonore.

– Bien voilà, mon petit ami !, le salua Mordoc. Merci de ton aide et je te souhaite une bonne vie dans ton existence d'ornement. Tu passeras aussi les remerciements à tes copains qui nous ont bien secondés !

La créature dorée fit une moue d'agacement et poussa quelques cris aigus. Décidément, elle ne voulait par que Mordoc s'en aille.

– Si tu n'es pas content de ton sort et que tu veux continuer à manger des fruits, tu n'as qu'à m'accompagner !, proposa-t-il. Tu vivras plus d'aventures que fixé à ce mur !

La petite bête sourit une fois de plus, puis désigna du doigt l'épée longue de l'aventurier. Mordoc la sortit de son fourreau et la lui présenta. Avec précaution, le démon d'or se détacha du mur et bondit sur la lame. Comme pour en vérifier la qualité, il l'examina attentivement, puis s'enroula au bout du pommeau avant de se figer. Aussitôt l'arme se couvrit de minces filaments d'or qui dessinèrent des branches et des feuilles de pommiers. Une pomme faite d'un immense rubis se matérialisa également dans la lame. Enfin, une inscription runique apparut sur la garde de l'arme.

Mordoc, les yeux écarquillés, fendit l'air de sa nouvelle épée. Elle était tout simplement extraordinaire. Plus légère, la lame s'était complètement métamorphosée et possédait un tranchant d'une incomparable qualité.

– Pardon Lolya, demanda Mordoc en jouant le désintéressé, tu peux déchiffrer ces écritures sur la garde de mon épée ?

– Oui, je crois bien… C'est l'écriture des nécromants, tous mes livres de magie sont écrits dans cette langue. Il est inscrit, « La Pomme de Sang ». Mais où as-tu trouvé une aussi belle épée ?

– La Pomme de Sang…, répéta Mordoc abasourdi. Euh… désolé, je ne l'ai pas trouvée, c'est… c'est un cadeau qu'on m'a fait !

– Cette arme me semble avoir une valeur exceptionnelle !, conclut simplement Lolya. Il s'agit certainement d'une lame redoutable !

– Oui, en effet ! Et merci pour le décryptage.

Mordoc caressa la tête du petit démon de son pommeau et rangea La Pomme de Sang dans son fourreau.

– Merci l'ami !, lui dit-il ensuite. Je te revaudrai ça !

## Chapitre 16

# Le plaideur

C'est la soif qui sortit Amos de sa torpeur.

– De l'eau…, murmura-t-il un peu fiévreux, il me faut de l'eau…

La bouche sèche comme un désert et la langue épaisse, il quitta son lit afin de trouver à boire. Toujours dans la pièce blanche où il avait été placé, il n'osa pas ouvrir la porte et chercha plutôt autour de lui si une bouteille, une amphore ou un pot avait été laissé à sa disposition.

– Ah non!, soupira-t-il presque au désespoir. Je n'ai pas envie de sortir…

Contre toute attente, la porte s'ouvrit et deux anges en armure, costauds et lumineux, entrèrent dans la cellule. Aussitôt, ils s'emparèrent d'Amos afin de le maîtriser, ce qui ne fut pas difficile puisqu'il n'offrit aucune résistance. L'un d'eux le retourna, puis il lui passa aux poignets des bracelets métalliques reliés ensemble par une solide chaîne. Pendant ce temps, l'autre lui attacha également des menottes aux chevilles, puis ils lui indiquèrent de s'asseoir sur le lit.

– J'ai soif, dit simplement Amos.

On demanda à un druide qui se tenait dans le couloir d'aller chercher de l'eau. Patiemment, les anges attendirent en silence le retour du druide pour faire boire Amos. Une fois leur prisonnier désaltéré, un des anges déroula un parchemin et commença à lire à haute voix.

– Amos Daragon, fils d'Urban et de Frilla Daragon, porteur de masques et ennemi des dieux, vous êtes en état d'arrestation conformément à l'acte de condamnation émis par le conseil divin. Vous devrez purger une peine de réclusion éternelle initialement prévue à la prison du Tartare, mais qui, pour l'instant, se fera dans le bagne de Guéburah où vous serez soumis aux travaux forcés. Sous l'œil attentif des Puissances, vous y travaillerez jusqu'à votre transfert en enfer où vous serez torturé jusqu'à la fin des temps. Je vous ordonne maintenant de nous accompagner.

Résigné à son sort, Amos se leva et baissa la tête en signe de soumission.

Les anges le reconduisirent alors à l'extérieur du temple et, sous les regards inquisiteurs des druides, ils marchèrent solennellement en direction des menhirs du centre de l'île, la porte des Champs Élysées.

Dans l'éclatante lumière, juste au centre des mégalithes, apparut soudainement la silhouette d'un petit bonhomme aux grandes oreilles bien pointues. La petite créature qui, de loin, ressemblait à un enfant, marchait rapidement en agitant entre ses mains des papiers et des dossiers. Elle s'approcha d'Amos et de ses gardiens, puis leur barra le passage.

Amos reconnut alors qu'il s'agissait d'un lurican, semblable à ses amis Flag et Groom.

– On ne bouge plus!, dit le petit personnage d'un ton arrogant. Selon les lois qui régissent les condamnations divines envers les humains, cet homme a le droit de plaider sa cause auprès des autorités compétentes et, pour cela, il a le droit, en vertu du protocole kabbalistique qui, chacun le sait, signifie la transmission du savoir divin, d'être représenté par un plaideur. Je ne vous apprends rien, Messieurs les anges gardiens, n'est-ce pas? Avez-vous informé votre prévenu de ce droit?

Les anges se regardèrent avec exaspération.

– Pas nécessaire de me répondre, votre expression a déjà répondu à ma question! Je note ici, première infraction au code déontologique de votre profession! Il y aura des suites, faites-moi confiance! J'aimerais donc, puisque je me propose de représenter officiellement Amos Daragon, avoir quelques minutes avec mon futur client, s'il vous plaît!

Amos se frotta les yeux. Il croyait rêver! Mais qui avait bien pu lui envoyer un plaideur pour défendre sa cause?

Les anges se retirèrent en grommelant et laissèrent la place au lurican.

– Bonjour Maître Daragon, se présenta-t-il, je suis maître Hélory de Kermartin, du groupe Mercury et Mercure, et mon office m'a délégué pour défendre votre cause dans la condamnation des dieux dont vous faites l'objet! Vous avez le choix, Maître Daragon, d'être représenté par notre bureau dans cette affaire et je vous assure d'emblée que tous les frais de votre défense ont déjà été acquittés. Bien sûr, vous pouvez toujours refuser, mais je ne vous le conseille pas...

– Euh, mais qui..., hésita Amos confus et surpris, mais qui vous a engagé pour me défendre?

– Vos bienfaiteurs sont les phlégéthoniens et leur guide spirituel, précisa l'avocat. Ceux-ci nous ont contactés afin que nous étudiions votre dossier et, à la lumière de notre analyse, nous croyons certainement pouvoir vous sortir de ce mauvais pas!

– Les phlégéthoniens!, sursauta Amos. Mais pourquoi... pourquoi ont-ils fait cela?

– Mais, vous ne savez réellement pas?, s'étonna Hélory de Kermartin. Vous êtes leur phœnix, leur dieu! Et c'est là que repose la défense que j'ai construite pour vous!

– Tout cela me dépasse...

– Je comprends que, pour une première rencontre, l'explication soit un peu compliquée, fit le plaideur. Si j'arrive à prouver que vous êtes un être immortel, que vous êtes glorifié par un peuple entier et que votre force est surnaturelle, vous ne serez pas considéré alors comme un être humain, mais bien comme un dieu. Ainsi, en tant que dieu, vous ne serez pas soumis aux mêmes lois et aux mêmes traitements que les mortels! Votre peine, si elle tient toujours, sera alors réduite! De plus, je tenterai aussi d'aller vous chercher l'immunité divine de vos actes, mais je commencerai par faire tomber la condamnation. Alors, dites-moi, me laissez-vous plaider votre cause ou non ?

– Mais... vous êtes un lurican et pourtant, vous n'avez pas l'accent !, lui fit remarquer Amos. Je trouve cela un peu louche !

– Pourrr moi, c'est trrrès facile d'y revenir !, lui répondit Hélory de Kermartin en rigolant. J'ai dû m'adapter à mon métier, car plaider en roulant les « r » énerve les juges.

Amos réfléchit quelques instants à la proposition de l'avocat. Étonné de la générosité des Phlégéthoniens à son égard, il regagna un peu de confiance en lui et eut envie de se battre pour demeurer chez les mortels. Si tout un peuple lui faisait confiance, c'était peut-être parce qu'il n'était pas si mauvais après tout !

Les anges gardiens firent quelques pas en direction d'Amos.

Le temps accordé au plaideur était maintenant terminé.

– Il nous reste quelques instants, Maître Daragon, lui fit remarquer Hélory de Kermartin, si vous refusez, ça en sera fait de vous ! Je ne crois pas que la perspective des travaux forcés pour l'éternité vous plaise, non ? Encore moins un transfert à la prison du Tartare où les érinyes ne sont pas réputées pour leur douceur ! Pensez vite, car ce sera terminé dès que les anges poseront la main sur vous... Laissez-moi me battre pour votre cause ! Je sais que vous traversez une mauvaise passe, ne baissez pas les bras ! Il y a des gens qui croient en vous! Les phlégéthoniens croient en vous! C'est un bon peuple, vous savez!

– D'accord..., je vous accepte comme plaideur.

Le lurican s'interposa alors entre son client et les anges.

– Mon client, ici présent, demande l'asile des mortels et refuse pour l'instant d'être transféré dans un autre plan d'existence. Selon l'article 0803-2011 du code kabbalistique, mon client demande à rester sous la surveillance des druides de l'île Blanche. Il s'engage à demeurer confiné sur cette terre et ne bougera pas d'ici pendant les procédures visant à déterminer sa culpabilité.

Les anges reculèrent d'un pas et opinèrent de la tête. L'avocat avait tout à fait raison, car la loi sur l'asile des mortels était très claire à ce sujet. Les êtres de nature surnaturelle et divine ne pouvaient enlever des mortels et les transférer d'un plan d'existence à un autre de leur vivant, sauf pour des raisons exceptionnelles. La condamnation d'Amos par les dieux justifiait ce passage, mais l'arrivée d'un plaideur pour contester le châtiment de son client venait modifier les choses.

– Alors, Messieurs, vous pouvez disposer et retourner dans les Champs Élysées, dit Hélory de Kermartin en guise de conclusion. Je vais prendre des arrangements avec les druides. Au revoir!

Le plaideur tourna les talons pendant que les anges retirèraient les menottes aux pieds et aux mains d'Amos. Les deux gardiens marchèrent ensuite lentement vers les menhirs de l'île et disparurent dans une éclatante lumière.

Étourdi par les événements, Amos s'assit sur un banc de pierre et contempla la nature autour de lui. Certains pommiers qui l'entouraient étaient en fleurs, d'autres portaient déjà des fruits. Un petit vent frais faisait tressaillir les feuilles.

– Je suis bien ici…, pensa Amos. Tout est si blanc, si beau, si pur…

Au loin, Hélory de Kermartin était en pleine conversation avec le druide senior du sanctuaire. Sa conversation, trop éloignée pour être décodée par une oreille humaine, flottait dans les airs comme des notes de musique. Au bout d'un moment, le plaideur retourna auprès d'Amos.

– Voilà, tout est arrangé !, dit-il fièrement. Vous pourrez demeurer ici tant que dureront les procédures visant à faire tomber votre condamnation. Il y a par contre quelques conditions. Vous avez accès à l'île exclusivement pendant les heures d'ensoleillement et devez regagner votre chambre dès la tombée du jour. Défense de vous adresser à un druide à moins qu'il ne vous parle en premier. Les repas sont servis à heures fixes dans votre chambre et vous n'avez pas le droit de quitter l'île, même pas pour prendre un bain de mer. Est-ce que ces règles vous conviennent ?

– Oui…, elles me conviennent très bien.

– Bon, dans ce cas, je vous quitte et je vous reviendrai bientôt avec de bonnes nouvelles !, fit le plaideur. Bonne chance, Maître Daragon, c'est un véritable plaisir de vous représenter.

Amos vit partir maître Hélory de Kermartin par le même passage qu'avaient emprunté les anges quelques minutes auparavant. Lui aussi disparut dans un éclair de lumière.

– Bon…, me voilà maintenant prisonnier de cette île, se dit Amos. Je n'aurai pas d'autre choix que de me reposer…

Un druide nagas marcha devant lui et le dévisagea. Intimidé, Amos baissa la tête et essaya de fuir son regard. Peut-être l'avait-il déjà rencontré à Bhogavati et, dans ce cas, il valait mieux jouer profil bas.

– Je vois le problème, siii…, fit l'homme-serpent. Regardez-moi, s'il vous plaît, siii !

– Laissez-moi, répondit Amos. Je ne veux pas vous déranger et je ne veux pas être dérangé non plus.

– Siii… je suis un spécialiste des maux de l'âme… siii et je crois, de par votre allure générale, que vous avez… siii… que vous avez grandement besoin d'aide.

– Je ne veux l'aide de personne…

– Vous êtes ici pour longtemps, siii ?, demanda le Nagas de plus en plus intéressé.

– Je ne sais pas trop…, mais je crois bien !, répondit Amos impatienté.

– Alors, rejoignons-nous ici demain au zénith du soleil et nous… siii… nous converserons ensemble… siii…, d'accord ?

– Je ne vous promets rien…

– Très bien alors, siii… à demain, fit le Nagas en faisant la sourde oreille. Ce sera un plaisir de vous revoir.

# Chapitre 17
# Toujours plus creux

Après des jours de marche dans l'interminable couloir, Béorf, Médousa, Lolya et leurs compagnons débouchèrent sur une plage de sable noir au pied d'une gigantesque falaise de pierre sombre. Un vent chaud portant une odeur acidulée leur souhaita la bienvenue. Sous un ciel pourpre où flottaient de longs stratus verts, Lolya, sous l'impulsion de son double, fit quelques pas rapides puis se laissa tomber à genoux sur le sable.

– Enfin, dit Aylol en savourant le moment, je suis chez moi. Me voilà parmi les miens ! Il y avait si longtemps que je n'avais pas respiré ce doux parfum d'acide… Et ce sable brûlant…, quel bonheur !

Impressionnés par la rudesse du paysage et la violence des contrastes, les membres de l'expédition avancèrent avec précaution sur la plage.

– C'est impressionnant, les enfers !, fit Béorf un peu inquiet, mais surtout émerveillé. Jamais je n'aurais cru qu'il y avait un ciel sous la terre !

– Nous ne sommes pas sous terre, gros bêta, le reprit Aylol, nous sommes sur un autre plan d'existence. En empruntant ce couloir, nous avons lentement quitté le monde des mortels pour arriver sur la terre des créatures immortelles et des dieux. Tout ce que tu vois autour de toi représente la perfection !

Béorf eut envie de lancer un commentaire désobligeant à Aylol, mais il préféra se taire. Le voyage risquait d'être encore long et il valait peut-être mieux encaisser l'insulte de gros bêta plutôt que de déclencher des hostilités. Et puis il y avait aussi ce concept de perfection dont il aurait bien aimé discuter, mais encore là, il choisit sagement de se taire.

À ce moment, une lourde herse tomba à l'entrée du passage empêchant ainsi une quelconque retraite.

– Voilà autre chose !, s'inquiéta Béorf. Aidez-moi, nous allons rouvrir cette herse. Il n'est pas question que nous demeurions prisonniers de cet endroit.

– C'est trop tard !, fit Aylol. Vous êtes dans un autre plan d'existence et votre retour vers votre monde devra s'effectuer d'une autre façon. Cette voie fut construite pour le passage des damnés ! Pas question d'un retour en arrière !

– C'est bien ce que nous allons voir !, répondit Béorf. Aidez-moi vous autres, nous allons la soulever et nous garantir un passage de retour.

Béorf et ses compagnons tentèrent du mieux qu'ils purent de soulever la herse, rien n'y fit. Aylol avait raison et, même en utilisant la force d'un levier, la grille demeura bien en place. La voie était bien condamnée.

– C'est embêtant !, fit Mordoc. Qu'il y ait des pistes de nos démons ou non, nous sommes coincés ici…

– Mais s'il y a une entrée, lui répondit Nellas, il doit nécessairement y avoir une sortie ! Il ne nous reste qu'à la trouver !

– Enfin, c'est l'unique option qui s'impose à nous, ajouta Alior. Vous… vous entendez ce murmure ? J'entends quelqu'un qui parle !

Chacun se tut, mais personne n'entendit quoi que ce soit. Alior jeta un rapide coup d'œil autour de lui et aperçut un filet d'eau qui coulait de la falaise. Il comprit tout de suite que c'était sa femme, la sirène Danädäelle, qui tentait de le rejoindre.

– Un instant !, fit-il au groupe, je reviens tout de suite !

– Alior, tu m'entends… Alior, tu m'écoutes, es-tu là ?, répétait sans cesse la sirène sur un ton angoissé.

– Oui, belle Danädäelle, je suis là, répondit Alior. Ta voix est faible et lointaine, mais je t'entends !

– Oh, mon amour ! Comme je suis heureuse ! Tu n'es pas blessé, tout va bien ?

– Oui, mais je suis loin de toi… Tu me manques beaucoup ! Jamais je n'aurais dû partir et te laisser seule.

– Toi aussi, tu me manques beaucoup… Sans toi, la vie est morne ! Dis-moi où es-tu et seras-tu de retour bientôt ?

– Je ne crois pas, Danädäelle, car nous venons à peine d'atteindre les enfers… Le filet d'eau se raréfie, je crois que nous perdrons bientôt contact…

– D'accord, mais avant, tu dois me dire, mon beau chevalier, quels sont les noms des créatures que vous pourchassez ?

– Il s'agit de deux démons qui se nomment Béhémoth et Léviathan !, répondit Alior intrigué. Mais pourquoi me demandes-tu cela, Danädäelle ?

– C'est bien ce dont je me doutais, fit la sirène pour elle-même.

– Danädäelle ?

– Écoute, j'ai une mauvaise nouvelle pour toi, Alior. Il y a de cela quelques jours, les sirènes de mon peuple ont repêché les démons que vous poursuivez ! Ils pataugeaient en plein milieu de la mer Tourmentée et sont maintenant retenus sous les eaux par notre armée. Vous avez fait fausse route, il vous faut immédiatement rebrousser chemin !

Alior se frappa la tête contre la falaise. S'il avait appris la nouvelle quelques instants plus tôt, la chose aurait encore été possible, mais présentement, un retour rapide semblait bien improbable !

– Alior, tu es toujours là ! ? s'inquiéta Danädäelle.

– Oui, je suis toujours là ! Pardonne-moi, c'est la surprise ! Je ne comprends pas comment des démons que nous poursuivons sur la route des enfers ont pu se retrouver en plein centre d'une mer à des centaines de lieues de nous ! C'est un peu décourageant, mais bon, nous allons prendre le chemin du retour ! Par contre, il faut que tu saches que…

– Alior, tu es toujours là ! ? Je perds le fil de l'eau !

– Je dois t'expliquer que nous sommes prisonniers du premier niveau des enfers et qu'il ne nous est pas possible de revenir…

– Pardonne-moi, Alior… J'ai vraiment du mal à t'entendre… Tu peux répéter ?

– Je te disais que je t'aime et que je pense continuellement à toi !, choisit de conclure Alior.

– Moi, aussi… Je t'aime…

Le filet d'eau s'arrêta de couler et la communication se rompit aussitôt.

Dépité, Alior marcha vers ses compagnons et leur partagea la mauvaise nouvelle.

– Si je résume la situation, fit Mordoc incrédule, nous avons poursuivi jusqu'ici des démons qui étaient à des lieues de nous, c'est bien ça ?

– Oui…, répondit Alior.

– Et Amos dans tout ça, demanda Béorf. Les sirènes l'ont retrouvé ?

– Je ne sais pas, dit le chevalier, je n'ai pas eu le temps de demander… Nous avons été coupés.

– Et maintenant, continua Mordoc, il nous est impossible de rebrousser chemin, car le passage est bloqué par une herse, n'est-ce pas ?

– Amos aurait dû être avec eux, ajouta Nellas qui n'écoutait pas Mordoc. Si les sirènes ne l'ont pas repêché, c'est sans doute parce qu'il s'était déjà libéré !

– C'est une option, confirma Médousa. Je l'ai souvent vu se sortir de situations pires que celle-là !

– Ce qui veut carrément dire que nous sommes bloqués ici !, s'exclama Mordoc. Nous avons risqué notre vie absolument pour rien. C'est une évidence, non ?

– Pour l'instant, il vaudrait mieux se préoccuper de notre sort que de celui d'Amos !, proposa Béorf. Car, entre nous, notre situation n'est pas reluisante !

– C'est exactement là où je voulais en venir !, fit Mordoc mécontent. IL FAUT SORTIR D'ICI AU PLUS VITE !

Tous les regards se tournèrent vers Aylol.

– Je sens que vous aurez besoin de moi…, dit-elle en jouant le détachement. Il y a une bonne et une mauvaise nouvelle… La bonne : je vous assure qu'il y a plusieurs façons de sortir des enfers !

– Et la mauvaise ?, demanda Mordoc.

– Je ne les connais pas !, lui répondit Aylol satisfaite. Mais pour trouver les passages, il faudra bouger nos miches et traverser le Styx, sinon vous crèverez tous ici une fois que les provisions seront épuisées. Le choix est clair, il faut avancer ou attendre la mort !

– Je crois bien que notre guide, pour une fois, ait raison !, approuva Mordoc. Moi, je n'ai pas envie de finir mes jours dans cet endroit.

– Moi non plus !, fit Bois d'Orme qui ne parlait pas souvent, mais dont l'exclamation fit bouger tout le monde. En avant !

L'expédition se remit en marche, mais cette fois avec l'objectif de trouver rapidement une sortie. Ils avancèrent jusqu'à un quai donnant sur les berges d'une rivière asséchée. Le large sillon se trouvant devant eux témoignait du passage d'une très grande quantité d'eau. Toute la terre avait été nettoyée laissant un fond de galets bourgogne et vert.

– C'est ici que coulait la plus belle rivière du monde, fit Aylol au bord des larmes. La rivière de la mort, le Styx ! C'est sur ce quai, maintenant inutile, que nous aurions dû attendre Charon, le passeur, afin qu'il nous reconduise sur l'autre berge. C'est une tragédie ! Une véritable catastrophe que le Styx ne soit plus là !

– J'ai déjà vu des scènes comme celle-ci, dit Alior. C'est certainement l'effet d'une sécheresse… Une sécheresse extrême !

– Pour ma part, ce n'est pas plus mal !, fit Mordoc. Je n'aime pas trop naviguer ! Ce sera plus facile à pied.

Aylol se rembrunit. Ce voyage rêvé pour retrouver son maître Baal commençait bien mal. Quoique au début de son périple, elle s'était dit que les enfers avaient bien changé depuis son départ.

– Préparez-vous, car sur l'autre rive, vous devrez affronter Cerbère, le gardien du passage vers le deuxième niveau !, les avertit Aylol. Nous devrons emprunter une allée bordée de grands arbres morts et faire venir à nous le gardien en retournant un écriteau sacré. Je vous indiquerai comment procéder ! Cependant, vous devez savoir que Cerbère vous posera une énigme à laquelle vous devrez répondre. Si vous réussissez, il vous laissera passer, sinon nous devrons nous battre !

– Cerbère ?, se questionna Alior. N'est-ce pas une créature à trois têtes ?

– Exactement !, lança Aylol. Une bête impressionnante, sans scrupules et sans pitié, dont la fonction est de manger les voyageurs qui s'aventurent sur ses terres.

– Les énigmes, ce n'est pas mon fort…, soupira Béorf.

– Moi non plus !, ajouta Médousa. Enfin, peut-être que je réussirai à le transformer en pierre avant qu'il n'ouvre la bouche !

L'expédition reprit sa marche et la traversée du lit de la rivière Styx se fit sans le moindre problème. Les enfers, cet endroit mystique où tous nos voyageurs s'attendaient à défendre leur vie, étaient maintenant presque vides. À l'exception des goules, dont ils avaient essuyé l'attaque, il ne semblait plus y avoir de démons, ni même d'armée afin de défendre les lieux.

– Ce n'est pas normal !, grogna Béorf. Toute cette paix et cette quiétude dans un endroit aussi dangereux. Il faut se méfier…

– Je ne sais pas quoi penser moi non plus !, lui répondit Médousa. Depuis tout à l'heure, je cherche des traces d'ennemis et je ne trouve rien. Décidément, je crois que nous ferons un voyage merveilleux si nous ne rencontrons personne.

– Tu crois que nous devrions abandonner et nous installer ici, toi et moi, comme des rois ?, proposa Béorf. Tu imagines, juste nous deux dans ce paysage à couper le souffle. Nous pourrions élever des enfants en paix et…

– Qu'est-ce que tu dis ?, l'interrompit Médousa. Tu… tu rêves d'avoir des enfants avec moi ?

– Euh… oui, bien sûr !, répondit tout naturellement Béorf.

– Tu es un amour !, réagit Médousa en l'embrassant sur le front. Un véritable prince charmant ! Je dois avouer que j'ai été très en colère en apprenant qu'Amos était allé danser avec cette fille, cette Hermine, et je croyais que… que toi aussi tu voyais quelqu'un d'autre… J'étais jalouse parce que j'avais peur de te perdre, mais je n'avais pas raison de me fâcher contre toi. Tu n'avais rien à voir dans cette histoire…

– Amos est allé danser avec une fille ?, demanda Lolya qui avait entendu ce bout de conversation.

– Oups ! Il faudra expliquer maintenant, murmura Béorf entre ses dents.

– Ah non, chuchota Médousa paniquée, et qu'est-ce que je lui dis ? Je ne veux pas la blesser.

– C'est du temps d'Aélig !, fit le plus naturellement du monde Béorf en se retournant vers Lolya. Tu te rappelles, la Cité de Pégase et tous les événements de cette aventure ?

– Oui, répondit Lolya.

– Eh bien, c'était avant que tu lui avoues ta flamme… Nous disions que dans ce temps-là, il avait appris à danser avec Aélig… En fait, Médousa s'est trompée de nom et l'a nommé Hermine, mais je l'ai corrigée, la fille avec qui il dansait s'appelait Aélig, c'est tout !

– Ah !, s'exclama simplement Lolya. Vous pouvez tout me dire, vous savez… Amos et moi, c'est terminé… Je lui ai demandé de partir et de ne plus penser à moi.

– Tu as fait ça ?!, s'étonna Médousa. Vraiment ?!

– Oui, c'était mieux ainsi… pour lui comme pour moi.

– Désolée, je ne savais pas…, se chagrina Médousa.

– L'important maintenant, ce n'est pas Amos, mais c'est de sortir d'ici vivants, n'est-ce pas ?, dit Lolya en quittant ses amis.

– Oui ! répondirent-ils de concert.

– Tu as ta réponse maintenant, fit Béorf à l'oreille de sa copine. Il est allé danser avec Hermine parce que Lolya l'avait quitté… Il ne lui a pas joué dans le dos ! Tu vois, tout s'explique…

– Je l'ai jugé un peu vite…, avoua la gorgone dans un soupir. Si c'est bien cela qui est arrivé, je ne peux pas en vouloir à Amos.

– Je savais que mon ami était un type honnête ! Moi aussi, ça me rassure. Bon, maintenant, plus un mot sur cette histoire, d'accord ?

– Oui, plus un seul mot, je le jure… Merci de m'avoir sortie du pétrin.

– C'est toujours un plaisir de vous venir en aide, princesse des ténèbres !, la taquina Béorf.

Exactement comme l'avait expliqué Aylol, il y avait bien sur l'autre rive du Styx une longue allée d'arbres morts et un énigmatique panneau de bois où il était écrit « Cerbère, 999 000 km, droit devant vous. » Seulement, tout le paysage était couvert d'une immense couche de neige et Cerbère, la créature à trois têtes, gisait sous un épais manteau blanc.

– Cerbère est mort ! ?, lança Aylol, stupéfaite. Le gardien est mort ! Je n'arrive pas à le croire !

– Un problème de moins !, fit Mordoc soulagé. Je n'aurais pas voulu l'affronter, celui-là !

– Curieux !, s'étonna If de Brise. Nous passons d'un extrême à l'autre ! Le Styx asséché ici et, juste devant nous, telle une frontière, de la neige.

If de Brise fit alors un pas en avant et enjamba la zone entre les deux plans. Dès la ligne passée, il se retrouva face à un blizzard glacé et à une température polaire. Désirant revenir en arrière, il se retourna, mais la frontière avait disparu. Il était maintenant seul au milieu d'une terre de glace.

Ne sachant quoi faire, il appela à l'aide, mais il n'eut qu'une rafale de vent comme réponse.

– Mais je n'ai pas de vêtements…, pensa-t-il, et rien pour faire du feu. Je vais geler ici ! Où sont-ils ? Ils étaient tous derrière moi…

La main ouverte de Béorf, venue de nulle part, apparut soudainement devant lui. If de Brise ne perdit pas de temps et l'attrapa. De toutes ses forces, le béorite le tira ensuite vers lui. L'archer grelottant réapparut sur les rives du Styx.

– Je vous avais perdus ! Merci beaucoup !, tu viens de me sauver la vie, Béorf !, dit If de Brise transi de froid. Passé la frontière, il n'y a pas de retour en arrière possible sans aide…

– Il n'est resté que quelques secondes et ses oreilles sont blanches !, fit remarquer le béorite. Nous ne pourrons pas affronter ce froid nous non plus !

– Mais c'est impossible!, s'indigna Aylol, il s'agit du deuxième niveau des enfers, mon pays, ma terre à moi... Il y souffle normalement un vent acide et étouffant... Mon pays se nomme le vent noir, pas le vent de glace!

– Quelqu'un approche!, l'interrompit Alior. Il vient vers nous...

Un petit bonhomme à tête de chat s'avançait bien vers les voyageurs. Il portait une dague à la main, mais ne semblait pas menaçant. Aylol tomba à genoux, face contre terre.

– C'est lui, c'est mon maître!, fit-elle le souffle coupé. Il est mon créateur, mon dieu! C'est lui le grand-duc, le commandant en chef de soixante-dix légions de démons! C'est Baal! Mon avenir est sauvé, ça y est, je suis de retour! Baal, le grand Baal!

Bien habillé dans un costume richement décoré de bordures tissées d'or, il portait un pantalon bouffant et de grandes bottes de cuir où la poussière semblait refuser de coller. Ne sachant pas trop quoi faire ni comment se comporter, les voyageurs demeurèrent immobiles et l'accueillirent avec un timide sourire.

– C'est lui, Baal?, glissa Béorf à Médousa. Il est haut comme trois pommes... Entre nous, il n'a pas l'image du démon sanguinaire qui fait sa réputation.

– On ne sait jamais, mon beau béorite. Toi par exemple, tu as l'air intelligent, mais lorsqu'on te connaît, on voit bien que c'est faux, blagua la gorgone. Il ne faut jamais se fier aux apparences.

Béorf sourit et écrasa volontairement le pied de sa copine pour la punir de ce coup bas. Médousa rigola en silence pendant que Baal les saluait d'une profonde génuflexion.

– Bonne journée, dit-il d'une petite voix de souris, vous n'auriez pas vu une horde de goules par hasard ? Elles m'ont échappé !

# Dictionnaire mythologique

## Les créatures de légendes

**Ange** : Popularisés par la mythologie chrétienne, les anges seraient l'œuvre de la création divine. *La kabbale*, un livre ésotérique provenant du judaïsme, enseigne qu'ils seraient exactement soixante-douze divisés en neuf chœurs. Au bas de l'échelle, on trouve les anges proprement dits, puis les archanges, les principautés, les vertus, les puissances, les dominations, les trônes, les chérubins et, enfin, les plus puissants, les séraphins.

**Caladre** : Issu du Moyen Âge, cet oiseau blanc avait, racontait-on, le pouvoir de guérir les malades d'un seul coup d'œil. Blanc des pattes à la tête, il avait la hure d'un aigle, un long cou et une queue de serpent. On l'appelle aussi le caladrius.

**Goule** : Les goules sont des créatures de la mythologie et du folklore arabe. On les retrouve dans les légendes perses, mais aussi dans les contes des *Mille et une nuits* où elles peuvent changer de forme et prendre l'allure de hyènes. Ces monstres peuplent les cimetières, car ils se nourrissent de cadavres.

**Harpie :** Ces descendantes du titan Pontos faisaient partie, dans les mythes grecs, des agents de la vengeance divine. Ravisseuses d'enfants, leur nom évoque l'action d'« enlever » ou de « saisir ». On les rencontrait en mer Égée dans les îles Strophades ou encore sous terre dans l'île de Crète.

tc • IMPRIMERIES TRANSCONTINENTAL

Imprimé sur Rolland Enviro100, contenant 100% de fibres recyclées postconsommation, certifié Éco-Logo, Procédé sans chlore, FSC Recyclé et fabriqué à partir d'énergie biogaz.